El hijo desobediente

Notas en campaña

Felipe Calderón Hinojosa

El hijo desobediente

Notas en campaña

EL HIJO DESOBEDIENTE.
NOTAS EN CAMPAÑA
D.R. © Felipe Calderón, 2006.

AGUILAR

De esta edición:
D.R. © Santillana Ediciones Generales, S. A. de C. V., 2006
Av. Universidad 767, Col. del Valle
México, 03100, D.F. Teléfonos: 5420-7530 y 5604-9209
www.taurusaguilar.com.mx

- Distribuidora y Editora Aguilar, Altea, Taurus, Alfaguara, S.A.
  Calle 80 Núm. 10-23, Santafé de Bogotá, Colombia.
  Tel. 635-1200
- Santillana S. A.
  Torrelaguna 60-28043, Madrid, España.
- Santillana S. A.
  Av. San Felipe 731, Lima, Perú.
- Editorial Santillana S. A.
  Av. Rómulo Gallegos, Edif. Zulia 1er. piso
  Boleita Nte., 1071, Caracas, Venezuela.
- Editorial Santillana Inc.
  P.O. Box 19-5462 Hato Rey, 00919, San Juan, Puerto Rico.
- Santillana Publishing Company Inc.
  2105 N.W. 86th Avenue, Miami, Fl., 33122, E.U.A.
- Ediciones Santillana S. A. (ROU)
  Constitución 1889, 11800, Montevideo, Uruguay.
- Aguilar, Altea, Taurus, Alfaguara, S. A.
  Beazley 3860, 1437, Buenos Aires, Argentina.
- Aguilar Chilena de Ediciones Ltda.
  Dr. Aníbal Ariztía 1444, Providencia, Santiago de Chile.
- Santillana de Costa Rica, S.A.
  La Uruca, 100 m Oeste de Migración y Extranjería, San José, Costa Rica.

Primera edición: mayo de 2006

ISBN: 970-770-475-6

Edición y textos complementarios: Gonzalo Pozo Pietrasanta,
Lizbeth Almendra Urrieta Farías y Guillermo Chumacero.
Diseño de portada: Liliana Castro Miñón

Impreso en México

Índice

"El caballo colorado
Hace un año que nació.
Ahí se lo dejo a mi padre
Por la crianza que me dio."
[...]
"De tres caballos que tengo
Ahí se los dejo a los pobres
Para que siquiera digan:
"Felipe, Dios te perdone."
[...]
"Ya con esta me despido
con la estrella del oriente
Y esto le puede pasar
a un hijo desobediente."
[...]

Estrofas sueltas del *Corrido
del hijo desobediente,*
JORGE GAMBOA

Prólogo

Cuando se me sugirió escribir este texto, mi primera reacción fue declinar la invitación. Inmerso en una campaña electoral intensa y competida como nunca en la historia de México, reunir notas personales, hacer el recuento de los acontecimientos y las fechas, escribir simplemente sería punto menos que imposible. Además, alguna vez escuché que las memorias las escriben personas que al final de su vida tienen mucho qué contar y tienen el tiempo suficiente para hacerlo. Habrá momento, dentro de muchos años, para escribir, pensé inicialmente.

Sin embargo, me convencí de hacerlo, ya que me permitiría decir de mejor manera, aunque fuera a vuelo de pájaro, quién soy, qué quiero, qué he sido, de quiénes he aprendido, qué caminos he recorrido, de qué surcos he cosechado y en cuáles he ido sembrando lo que quiero para México. Aun a sabiendas de que un esfuerzo como éste tendría limitaciones e insuficiencias evidentes, en sí mismo representa una gran ayuda, una herramienta útil para muchas personas que simplemente quieren saber un poco más acerca de quiénes somos los candidatos que estamos pidiendo su voto. Vale la pena hacerlo, aun con sus limitaciones.

Por ello estas notas son simplemente un acercamiento, una reflexión, una mirada rápida hacia mi vida desde la vorágine de esta campaña electoral por la Presidencia de la República. En cuanto a las memorias, algún día las escribiré con puntualidad, con paciencia, sin la presión de una agenda, sin la inercia de estar al tanto de lo dicho y de lo hecho cada día, cada hora en la vida del país. Y aunque sé que nadie es dueño de su vida y de su destino, ojalá se me permita vivir mucho más, vivir intensamente, vivir al límite diciendo lo que pienso, haciendo lo que quiero. Mientras tanto, les platico cómo han sido las cosas.

Soy un mexicano profundamente enamorado de México. Como millones de mexicanos, quiero un futuro mejor no sólo para mis hijos sino para los hijos de todos los mexicanos; como millones de mexicanos, quiero un gobierno que sirva a la gente, que trabaje por y para ella. Aprendí desde joven que la única vía efectiva, necesaria, intransitada hasta entonces, era la política hecha de manera diferente. Política entendida no como el arte del poder, sino como actividad humana encaminada a realizar el Bien Común en un sentido amplio, o si se quiere, como actividad humana encaminada a la obtención, ejercicio y vigilancia del poder para subordinarlo a la realización del Bien Común, según lo definió Adolfo Christlieb Ibarrola, presidente nacional del PAN a principios de la década de los sesenta.

Mi padre fue un hombre profundamente convencido de sus ideales y jamás dejó de luchar por ellos. En la década en que nací, hacer política distinta, política con principios, política hecha contra toda esperanza de ganar, implicaba una impresionante dosis de generosidad, desprendimiento personal, audacia. Política para la cual "no es indispensable estar loco, pero ayuda mucho", de acuerdo con otro gran mexicano de esos mismos caminos e ideas, Efraín González Morfín.

Lo que aprendí de ellos, de la generación de mi padre, de "los viejos del PAN", fue que más allá de la teoría política vista como disciplina académica, la política como actividad humana implica definir y realizar el Bien Común en cada momento histórico. No la mera enunciación "ad náuseam" de la "eminente dignidad de la persona humana", sino el contraste de decisiones personales en circunstancias específicas, no siempre fáciles de definir. Alguna vez escuché en una conferencia de Alonso Lujambio que el propio Christlieb clasificó a los políticos en dos categorías: los que pueden dormir y los que no pueden dormir —con los cuales me identifico—. Los que pueden dormir, a su vez, se dividen en dos: los que no tienen principios ni escrúpulos y duermen a pierna suelta, y los que tienen principios pero nunca se preocupan por aplicarlos a situaciones concretas ni se toman la molestia de cuestionarse cómo aplicar los principios celestiales en la tierra. Finalmente, los políticos que no duermen son los que tienen principios y los aplican a circunstancias concretas; a decisiones cuestionables entre opciones medianamente buenas o incluso ante opciones indeseables, pero cuya disyuntiva es inevitable; los que llegan a la encrucijada vital de la opción del "mal menor". Así, soy de los políticos que no duermen, porque no todas las decisiones son fáciles, gobernar no es un acto sencillo.

Definir y realizar el Bien Común requiere de elementos de información para analizar la realidad. Se requieren respuestas concretas, alternativas viables, estimación adecuada de los costos de cada una de las opciones. ¿Cómo resolver los problemas del país? Se requieren respuestas. Una de las muchas publicaciones que mi padre hizo para el Partido Acción Nacional se titulaba precisamente así: *Respuestas*. Se trataba de un compendio ordenado de citas de discursos o ensayos pronunciados o escritos por militantes distinguidos del Partido Acción Nacional, desde el fundador Manuel Gómez Morín hasta los diputados de la época de la publicación (hacia 1970). Lo que en esencia buscaba mi padre era presentar a los ciudadanos una puntal contestación a los diversos temas y problemas del interés de la opinión pública.

Esta preocupación constante por tener "respuestas" a los problemas de México me ha acompañado permanentemente en mi vida. Tener respuestas requiere no sólo de buena intención. Reclama también y fundamentalmente conocimiento técnico, análisis de alternativas, valoración de costos, revisión de experiencias de otros países o de circunstancias históricas equivalentes. Ello guió en mucho mi vocación, que poco a poco iba definiéndose hacia la vida pública. Por ello, orienté mi formación académica y política hacia el conocimiento de las leyes de México, de sus problemas y de sus distintas alternativas de solución.

Inicié mi formación en el conocimiento de la ley. Soy abogado egresado de la Escuela Libre de Derecho. Con todo y la visión universal que da el Derecho y el sólido criterio jurídico que forma el tradicional y controvertido método de exámenes orales en cada asignatura, considero que la preparación en ese solo campo era insuficiente. Entré al Instituto Tecnológico Autónomo de México y ahí obtuve la maestría en Economía, lo cual significó un cambio radical de la lógica jurídica a la lógica matemática. Para esas fechas mis responsabilidades en el PAN se habían intensificado y parecía que ya de estudios era suficiente. Sin embargo, una vez concluido mi periodo como presidente del Partido Acción Nacional en 1999, tuve la oportunidad de completar una formación claramente orientada al servicio público y estudié la maestría en Administración Pública en la Escuela de Gobierno John F. Kennedy de la Universidad de Harvard. Esa fue quizá una de las experiencias familiares y personales más enriquecedoras de mi vida. Y aunque no ha sido fácil, me alegra mucho haber contado con oportunidades singulares que me han permitido prepararme a conciencia para analizar los graves problemas de México y plantear alternativas para su solución.

Mi formación no se circunscribe únicamente al ámbito académico. Quizá no sea el aspecto más importante. El mayor acervo de conocimientos y experiencias lo he encontrado en el ejercicio de la política misma. Empecé en ella desde muy pequeño. Mi casa era con frecuencia un "cuartel de campaña". Doblábamos propaganda impresa en lo que entonces se llamaba "papel ferrocarril". En la cocina hervían constantemente grandes ollas ("calderones", para acabar pronto) de engrudo. Mis hermanos y yo salíamos por las noches a pegar propaganda. Pintábamos bardas a mano, repartíamos volantes en mercados, tocábamos puertas, invitábamos, no con mucho éxito, a que los amigos se involucraran y cuidaran una casilla electoral.

Posteriormente participé en el Instituto de Estudios y Capacitación Política del Comité Nacional. Ahí iniciaría una larga amistad con una de las personas que más han influido en mi vida: Carlos Castillo Peraza. Después del Instituto, mi participación fue más activa. Todavía como estudiante fui candidato a diputado suplente en uno de los distritos más populares del Distrito Federal. Participé bajo el liderazgo de Carlos en la campaña de don Luis H. Álvarez, e incluso me tocó ser orador en su favor en el Consejo Nacional que lo eligió presidente del PAN en 1986. Desde entonces también formé parte del Comité Nacional, y en él se me encargó la organización de los jóvenes, lo cual me llevó a plantear el esquema de organización de Acción Juvenil, que hasta la fecha ha perseverado como la organización política de jóvenes más estable, organizada y activa en la vida pública del país.

En 1988 fui candidato a diputado local en el Distrito Federal, esta vez por el distrito que comprendía entre otras colonias a Coyoacán y Portales. El impulso poderoso de Manuel

Clouthier posibilitó que una campaña metódica y entusiasta nos diera el triunfo por mayoría. Ser "asambleísta", como se nos llamó entonces a los miembros de la Primera Asamblea de Representantes del Distrito Federal, me permitió adentrarme en los múltiples problemas de la Ciudad de México. Al mismo tiempo, y una vez cumplida la tarea de reorganización de los jóvenes, don Luis Álvarez me encomendó la Secretaría de Estudios del Comité Nacional. En esa responsabilidad, desde la elaboración de la propuesta, me sentí pleno. Logramos que el PAN planteara semanalmente en rueda de prensa propuestas de política pública sobre los problemas del país; también nos tocó elaborar la plataforma política legislativa para la elección de 1991. En ese mismo año fui electo diputado federal. Al mismo tiempo fui representante del PAN ante lo que en ese entonces era el IFE. Cuando Carlos Castillo fue electo presidente del PAN me nombró secretario general del partido; tenía yo entonces treinta años. Tres años después gané la presidencia del PAN, cargo que desempeñé de 1996 a 1999.

Mientras fui presidente del partido, logramos en 1996 la Reforma Política que le dio el carácter ciudadano al Instituto Federal Electoral y en general dio paso a la vida democrática a nivel nacional. Además, el PAN ganó las gobernaturas de Nuevo León, Querétaro y Aguascalientes, así como catorce capitales de estado y cientos de ayuntamientos de importancia.

Concluida mi labor como presidente del PAN y a mi regreso de la maestría en Administración Pública fui postulado nuevamente a una diputación federal. El presidente del PAN, Luis Felipe Bravo Mena, con el apoyo de los diputados, me designó coordinador parlamentario.

Mucho se cuestiona, y con razón, la tarea del Legislativo. Sin embargo, fue una época en la que pudimos impulsar acuerdos importantes, como es la aprobación del presupuesto y la ley de ingresos cada año. Por lo menos los dos primeros años los dictámenes fueron aprobados en lo general por todas las fuerzas políticas. Pero más importantes fueron algunas reformas legislativas que no por haber escapado al interés de coyuntura dejan de serlo. Es el caso de la reforma a distintas leyes vinculadas con el sistema financiero mexicano que permitieron que la estabilidad económica se tradujera más fácilmente en menores tasas de interés, plazos más largos y reactivación del crédito en México. La Ley de Transparencia y Acceso a la Información Pública, la Ley de Desarrollo Rural Sustentable, la Ley de Capitalización de Procampo y muchas otras, además de la creación de la Secretaría de Seguridad Pública, el Instituto Nacional de las Mujeres, la Financiera Rural y la Sociedad Hipotecaria Federal, fueron fundamentales para el desarrollo del país.

En 2003 el presidente Vicente Fox me invitó a ser director del Banco Nacional de Obras y Servicios Públicos. Una de las razones por las cuales acepté ese encargo era que ese banco fue creado a instancias y bajo las ideas de Manuel Gómez Morín, fundador del Partido Acción Nacional; otra, que me permitiría realizar en la práctica y desde una responsabi-

18

lidad administrativa mi experiencia y formación técnica, en particular en materia de finanzas públicas. Banobras había iniciado ya un proceso de reordenación que me tocó completar. El Banco volvió a registrar utilidades después de varios años de pérdidas constantes. Impulsamos proyectos de infraestructura con inversión pública y privada, la creación del Fondo Carretero y la promoción del crédito a estados y municipios. Banobras dirigió las negociaciones y el diseño del esquema financiero que permitió que la presa "El Cajón" pudiera ser financiada sin requerir dinero presupuestal para ponerse en marcha; con un valor de más de ocho mil millones de pesos, será la mayor obra de infraestructura realizada en muchos años.

Posteriormente, el presidente Fox me designó secretario de Energía. La Secretaría fue un desafío en términos personales, técnicos y políticos. De inmediato emprendimos la tarea de poner en el centro de la discusión el debate por la reforma eléctrica, como paso inicial a una reforma energética plena. Llevé la propuesta —algo insólito— a las oficinas del PRI para discutirla con su comisión de asuntos económicos, en realidad una conjunción de liderazgos de ese partido político. Hablé también con los perredistas, con el Partido Verde y otros. Al principio de mi gestión, en la Secretaría de Energía, casi el 60% de la opinión pública estaba en contra de la reforma. Hacia el final, habíamos logrado revertir esos datos y la mayoría de los mexicanos ya se pronunciaba a favor.

Como secretario de Energía también promoví la formación del Comité de Auditoría de Pemex y en colaboración con otras dependencias iniciamos el operativo contra el robo de combustibles, con lo cual se ahorraron el primer mes más de mil millones de pesos en ventas adicionales sin producir un solo litro más de gasolina. Se inició la construcción de la presa "El Cajón" y de la primera planta regasificadora de gas natural licuado en Altamira, Tamaulipas, que permitirá la diversificación y el abaratamiento de las importaciones de gas del país. También autoricé y se puso en marcha la licitación del primer parque de energía eólica en el país. En ese periodo logramos la producción de petróleo y gas natural más alta en la historia; entraron en operación siete centrales de generación de energía eléctrica y la cantidad de poblados rurales con suministro eléctrico aumentó en 23.4%. Ya abundaré en algunos de estos aspectos de mi vida en las próximas páginas.

Estoy plenamente satisfecho con mi vida laboral. Creo que he ejercido mi profesión de manera honrada y transparente. El hecho de poder proponer y hacer acciones en beneficio de la gente ha marcado mi vida, y ha sido la razón principal para buscar la Presidencia de la República.

Creo en los valores. Creo en el valor de la ética, en el principio de la honestidad. Y quiero que estos principios y valores vayan al gobierno y sirvan a la gente. Soy un mexicano que está profundamente orgulloso de su país. Llevo a México muy dentro de mí, con sus colores, con sus canciones, con sus sabores. Estoy convencido de que todos los mexicanos lo queremos igual y sabemos que puede ser un país mejor. Lo que nos hace falta es que nos decidamos a construir este país de manera distinta, para que mire de frente al mundo, seguro de sí mismo.

Durante gran parte de mi vida me he preparado para gobernar, tanto con estudios teóricos como en la práctica política. Por eso, y por muchas otras razones que se explican en este libro, estoy en campaña por la Presidencia de México. Quien así lo desee, podrá a través de las páginas siguientes constatar lo dicho hasta aquí, seguir la ruta de una parte de mi campaña y conocer mis ideas, mis antecedentes personales y familiares, mi trayectoria política… mi trayectoria de vida.

He declarado repetidamente mi convicción de que la transparencia es indispensable para la vida democrática; en tal sentido, este libro es, al menos, una contribución a la transparencia política.

Finalmente, unas palabras acerca del título de este libro. Siempre me han gustado los corridos mexicanos. *El hijo desobediente* es un corrido cuyo personaje principal se llama Felipe. Cuenta la tragedia de un joven que desafía a su padre y dispone sobre sus bienes y sobre la manera en que lo han de enterrar, pues su progenitor le ha augurado la muerte. El hecho es que me gusta. Mi madre me lo cantaba a mí como le cantaba a mi hermano Juan Luis el de *Juan Charrasqueado*, además del de *Juan Colorado*, el corrido que todo michoacano debe saber.

Cuando a instancias de un compañero panista me fue facilitado un autobús para mi recorrido en la campaña interna del PAN, lo bautizamos como "El hijo desobediente". El apodo se fue transmitiendo del camión al pasajero, y de ahí al título de este libro. Ahí queda eso. Por lo demás, un cuarto de siglo de lucha en la oposición, de franca rebeldía contra un gobierno autoritario y antidemocrático en México, hacen válida la licencia requerida para tan singular título.

Felipe Calderón

La renuncia

Realmente estaba a gusto, plenamente realizado en mi trabajo en la Secretaría de Energía. Sin embargo, para el año 2004 se había abierto ya la discusión en la opinión pública y en todos los partidos políticos sobre el tema de la sucesión presidencial. El PAN había entrado de lleno a la discusión del proceso de elección de candidato. Carlos Medina, a quien respeto y aprecio con sinceridad, había avanzado en una sólida red de contactos en todo el país, a grado tal que resultó vitoreado en la asamblea panista del 30 de abril y 1 de mayo de 2004 en Querétaro. Ese día a mí tampoco me fue mal en el asunto del "aplausómetro". Poco después de la asamblea, Francisco Ramírez Acuña, gobernador de Jalisco y no sólo amigo mío de mi juventud sino muy apreciado desde la década de los setenta por mi padre, manifestó a un diario nacional que estimaba que mi candidatura sería la mejor opción hacia el 2006. Le agradecí el gesto por teléfono y quedamos en platicar sobre el tema. Me dijo que quería organizar una comida con varios jaliscienses en Guadalajara. Acepté. Quien era responsable de mi agenda sugirió el 28 de mayo, no por otra razón sino porque yo había dado instrucciones de que cualquier actividad no oficial de mi agenda se realizase los fines de semana, y ese era el único libre que quedaba en el mes.

El 15 de mayo estuve en un foro del Consejo de las Américas en California organizado por el exembajador de Estados Unidos en México Jeffrey Davidoff. El fin de semana siguiente, el día 22, participé en el Foro Mundial de Energía de Amsterdam, donde me tocó ser ponente en el panel inicial junto con el ministro de energía de Japón. Ese foro era de suma importancia ya que se discutía la presión para que la OPEP y los países productores llevásemos al máximo la capacidad de producción petrolera. A propósito de esa discusión, y a la vista de los datos de crecimiento económico pronosticados para Asia incluidos Japón, China e India, y para la propia economía norteamericana, comenté la inminencia de un alza prolongada del precio del petróleo, independientemente de las decisiones que tomara la OPEP.

Total, que el fin de semana disponible era únicamente el último de mayo. "El día 28 está en México y además estará en Guadalajara", fue el comentario de mi asistente. Pese a muchas especulaciones que se hicieron después de aquella fecha, esa fue la razón de que la comida tuviese lugar un día después de la conclusión de la Cumbre de América Latina, el Caribe y la Unión Europea en esa ciudad, circunstancia a la que simple y sencillamente no se le dio relevancia al momento de establecer la fecha de la comida con los panistas.

La víspera, Ramón Muñoz, hombre muy cercano al presidente Fox, me comentó el asunto poco antes de la inauguración de la Cumbre. Me preguntó cómo iba a estar el evento y me deseó que todo saliera muy bien, pidiéndome que después nos reuniéramos para ir platicando cómo abordar el tema de la sucesión presidencial, porque seguramente las inquietudes sobre ese tema se acelerarían. Estuve de acuerdo. Como yo no tenía más detalles sobre la comida le sugerí que hablase con Francisco Ramírez Acuña, cosa que finalmente hizo.

Francisco Ramírez Acuña habló más tarde con Ramón Muñoz. Le comentó el contexto del evento y el hecho de que yo no había tomado ninguna decisión respecto a la candidatura, ni era previsible que la tomara al día siguiente. Sorprendentemente, la noticia de la comida corrió como reguero de pólvora en la sala de prensa internacional de la Cumbre. Se distribuyó con profusión la copia de un volante impreso por un grupo de jóvenes invitando al evento. Joaquín López Dóriga me buscó para que diera mi punto de vista en su programa radiofónico del mediodía y me preguntó directamente "¿Que mañana es tu destape…?" Le dije que yo no había tomado ninguna decisión respecto de participar o no en la contienda presidencial, que era una reunión con militantes panistas de Jalisco y que el día en que tomara una decisión lo haría con mi familia y con la gente más cercana. Por último, hice un llamado a la mesura a los participantes y organizadores del evento.

Por la tarde, mientras viajaba a Ocotlán a dar una conferencia en el campus de la Universidad de Guadalajara, recibí una llamada de Alfonso Durazo, secretario particular del presidente y a la vez vocero de la Presidencia. Me decía que había escuchado la entrevista con Joaquín López Dóriga y que le había parecido muy bien la precisión que había hecho. "Cuenta con nosotros —me dijo—. Si quieres decir que mañana te regresas de inmediato con el presidente, nosotros así lo hacemos. Si consideras que debes asistir y atender y dar una explicación a los asistentes, también te apoyamos, cuenta con nosotros." Le agradecí el gesto y el comentario.

Concluida la Cumbre, acompañé al presidente a una reunión bilateral con el entonces presidente de Bolivia, y posteriormente a otra con Evo Morales. Terminadas mis tareas fui a la reunión que teníamos concertada. La convocatoria fue mayor a lo que yo hubiera imaginado y mayor aun a los cálculos más optimistas de los organizadores, que dieron cifras que variaron entre 5,000 y 7,000 asistentes. El evento fue muy alegre, pero yo pedí que no habláramos de candidaturas, pues no era el tiempo, y que exhortaba a todos a trabajar duro en apoyo al gobierno del PAN y por la unidad del partido. Al día siguiente, las crónicas de los medios afirmaban que había sido evasivo, que no había concretado ningún compromiso e incluso que entre los asistentes había una decepción porque no se había concretado el "destape" con el que tanto se había especulado la víspera en versiones filtradas a la prensa tanto por la oficina de prensa de cancillería como por la de Los Pinos.

La reunión fue realmente alegre, una fiesta. Estábamos en el saludo a los asistentes cuando justo a espaldas del rancho de Abraham González donde tuvo lugar la comida, barda de por medio con el aeropuerto de Guadalajara, despegaba el avión presidencial TP1. Cuentan quienes iban a bordo que se vieron caras de curiosidad, asombro y algunos gestos adustos entre los pasajeros del avión. Esa misma tarde volé a Veracruz a apoyar el mitin de Gerardo Buganza, candidato a gobernador del estado.

Al día siguiente, domingo 29 de mayo de 2004, en la residencia oficial de Los Pinos se realizó una comida en honor de la visita de Estado del presidente Uribe de Colombia. El tiempo de antesala que usualmente hacen los invitados fue más prolongado de lo habitual. Naturalmente, el tema de conversación fue el evento de la víspera. Al entrar al salón, en el saludo protocolario a los presidentes, el presidente Vicente Fox bromeó algo al presidente Uribe en el sentido de que yo era "el del petróleo". Yo saludé a los presidentes y al de Colombia le señalé la amistad que tenía con algunos parlamentarios que le eran afines, entre ellos el diputado Santiago Castro, de quien había sido compañero de estudios en Boston.

Terminados los discursos recibí una llamada de Max Cortázar, entonces encargado de la oficina de prensa de la Secretaría: "¿Que te regañó el presidente?" "No, ¿por qué?" le respondí. Me explicó lo ocurrido en la rueda de prensa de los presidentes ese día. Me dijo que de manera inusual, a pesar de que se había advertido que sólo se formularan preguntas alusivas a temas bilaterales, hacia el final alguien hizo una pregunta referida a la comida de la víspera en Guadalajara. La respuesta del presidente fue fulminante. Echando mano de una tarjeta cuidadosamente preparada respondió, entre otras cosas: "Ha sido más que imprudente." Aludió a la necesidad de que se aprobara la ley que había presentado y que regulaba las campañas electorales, y dijo que la imprudencia no había sido sólo mía, sino también del gobernador de Jalisco.

Al término de la comida traté de hablar con el presidente. Me fue imposible, aunque pude comunicarme con él por teléfono gracias al Estado Mayor Presidencial. Le dije que había escuchado sus comentarios a la prensa, que lamentaba que no me hubiese dicho nada personalmente y que probablemente tenía información incompleta, por lo cual quería entrevistarme con él y precisar los términos de lo ocurrido. Me citó para el día siguiente, lunes 30 de mayo, a las dos de la tarde.

A mi regreso a casa en compañía de Margarita, mi esposa —con la sorpresa e indignación que compartía conmigo— me detuve en un teléfono público de la avenida Barranca del Muerto. Llamé al gobernador Ramírez Acuña: "Paco, es necesario que estés al tanto de esto." Se mostró sorprendido, pues la víspera me había hablado de su conversación con Ramón Muñoz, a quien le había dado información detallada del asunto, con lo que había quedado conforme. Llamé también a mis colaboradores más cercanos para citarlos en mi casa, además de algunos amigos. Entre ellos estaban Alejandra Sota,

Javier Lozano, Juan Ignacio Zavala, Germán Martínez, Max Cortázar.

Desde las cinco de la tarde hasta pasada la medianoche analizamos las consecuencias de lo ocurrido. La primera reacción había sido minimizar el asunto. Hablaría con el presidente sobre el desarrollo de la reunión y así terminaría el problema. Sin embargo, poco a poco fueron escuchándose mucho más contundentes las opiniones de quienes consideraban que no tenía ya nada que hacer como secretario de Energía. La descalificación del presidente, inusual en su gobierno, había mermado totalmente mi capacidad de interlocución, indispensable para dialogar y negociar con líderes políticos, diputados, senadores, líderes de opinión, dirigentes sindicales. Por lo demás, nadie ignoraba que esa misma semana otros miembros del gabinete habían tenido reuniones con panistas en torno al tema de la elección del 2006. Por si fuera poco, una de las noticias relevantes ese fin de semana había sido la de las reuniones de la señora Martha Sahagún con diversos líderes de opinión, mujeres y organizaciones civiles, en las que se habían difundido profusamente encuestas que la ubicaban como la mujer con mayor liderazgo y probabilidades de ser candidata a la Presidencia.

Había pues una injusticia, pero más que eso, lo que me parecía insalvable era seguir con un cargo para el cual había sido descalificado por completo por mi propio jefe. De interlocutor político había pasado a franco contendiente, y de autoridad en el ramo a "más que un imprudente". Desacre-

29

ditado públicamente por el presidente, era imposible que continuara como secretario de Estado. Así que redacté mi renuncia considerando esos motivos. Al día siguiente por la mañana, tanto la prensa escrita como la electrónica daban cuenta ampliamente de las fuertes observaciones que me hizo el presidente. Me negué a responder entrevistas. Todavía a las nueve de la mañana desahogué en las oficinas de la Secretaría una reunión del Consejo de Petróleos Mexicanos que estaba programada para ese día.

A las dos de la tarde llegué puntual a la cita. El presidente me recibió y me dejó hablar primero. Le dije que estaba seguro de que no tenía la información completa. Tiempo después me enteré de que Ramón Muñoz le había contado al presidente que me había dicho directamente que no asistiera al evento y que eran instrucciones de él. Eso era falso. Le relaté paso a paso lo ocurrido en torno a la comida de Guadalajara y le entregué la copia y la versión estenográfica del discurso que di, donde sustancialmente reiteraba que tenía una tarea que cumplir en la Secretaría, que me sentía muy orgulloso de ser parte del equipo de Vicente Fox, que pedía el apoyo para él y un compromiso claro con la unidad del PAN, por encima de las diferencias y visiones de grupo que habían mermado la fortaleza en Jalisco de manera significativa.

La respuesta del presidente Fox fue muy amable. Me dijo que él tenía que dar una advertencia para conducir debidamente el proceso de sucesión. Le dije que lamentaba que no sólo no me lo hubiera dicho personalmente, sino que era algo totalmente distinto a lo que me había dicho el día que me invitó a ser secretario de Energía. En esencia, lo que me había dicho era que él entendía que al nombrarme secretario me colocaba en un carril muy claro de visibilidad política. Que era mi responsabilidad en todo caso hacer valer esa visibilidad. "Yo no le voy a apachurrar la cabeza a ningún secretario ni lo voy a meter debajo de la mesa por el tema de la sucesión", me dijo. De hecho, durante la conversación recordó que él mismo había iniciado su campaña presidencial no dos, sino tres años antes del dos de julio de 2000. Sin embargo, acotó que se había limitado a realizar "eventos cerrados".

En un momento me manifestó que podía pasar por alto lo ocurrido, pero que en otra ocasión debería valorar la repercusión en el desempeño del cargo. Le dije que no habría otra ocasión y le entregué mi renuncia. "Yo no necesito esto", me dijo. "Presidente, de verdad es imposible que yo siga en el cargo, puedo hacerme guaje y seguir, pero no soy así. No puedo ya empujar reformas, ni plantarme con firmeza frente al Sindicato —teníamos tensión con el Sindicato Petrolero por el tema del plan de austeridad para Petróleos Mexicanos—, ni soy creíble ya como interlocutor." A esto, el presidente me respondió: "Al menos espérate a la noche para ofrecerte una salida." Yo sabía que si me esperaba lo lógico es que desde la oficina de prensa acabarían por hacerme trizas en cuestión de horas; tenía que actuar rápido, no había retorno. Le

externé algunas recomendaciones y preocupaciones personales respecto del cargo y así terminamos la reunión.

La carta renuncia circularía públicamente unos minutos
después en los medios. Era el principio de una noche muy
larga. De alguna manera me parecía que después de viajar
en un enorme trasatlántico estaba saltando al agua helada, en
medio del mar y en medio de la noche. Muchos fueron los
que dieron por terminada mi trayectoria política. Así parecía. No obstante, la reacción de analistas y editorialistas fue
muy favorable.

La toma de protesta
Palacio de los Deportes

En noviembre de 1993 tuvo lugar la elección del candidato del PAN a la Presidencia de la República. Se seguía entonces el viejo método de elección por medio de delegados asistentes, y la elección fue en esa ocasión en el Palacio de los Deportes, una estructura poliédrica que se alza en el oriente de la gran ciudad, en el antiguo pueblo de la Magdalena Mixhuca. Sin duda es una de las edificaciones más originales del Distrito Federal por su techo de acero cubierto de láminas de cobre terminadas en picos. Es inevitable verlo en las maniobras de aterrizaje de las decenas, quizá cientos de vuelos que me ha tocado tomar a lo largo de mi vida. Visto desde el aire es como el caparazón cobrizo de una enorme tortuga.

Aunque de inicio se pensó únicamente como centro deportivo, también ha sido escenario de las actividades más diversas, desde ferias comerciales hasta conciertos de rock o verbenas populares. Ese fue el caso de la elección del candidato del PAN en 1993, cuando Diego Fernández de Cevallos superó a Adalberto Rosas y a Javier Livas Cantú en la contienda interna. Tan célebre como la elección en sí, fue el discurso magnífico que pronunció Carlos Castillo Peraza, a la sazón presidente nacional del PAN, donde entre otras cosas afirmó que también somos oposición cuando dialogamos.

Nunca hubiera pensado que un día me tocaría tomar protesta como candidato presidencial del PAN. Era el domingo 4 de diciembre de 2005. Atrás habían quedado los largos y apasionantes días de la contienda electoral interna. Ahora el Palacio de los Deportes sería el marco para la celebración de un acto que, aunque protocolario, no deja de estar cargado de significados: se trataba de asumir, como se señala en la mejor tradición panista desde la invitación que declinara el intelectual revolucionario Luis Cabrera, "el más alto honor que he recibido en mi vida".

El Palacio de los Deportes tiene capacidad para albergar a 20,000 personas. Estaba lleno ya al filo de las diez de la mañana y seguían llegando militantes y simpatizantes de una buena parte del país. Al final son varios miles los que quedaron fuera y siguieron el evento en las pantallas gigantes que se instalaron para que nadie perdiera detalle de lo acontecido. Mantas, pancartas, globos y banderines dan colorido a esta fiesta, en la que participan delegaciones de las distintas entidades federativas. Está también mucha gente a la que admiro y a la que quiero. Artistas, familiares, una hermana de mi padre, la tía Soledad, a quien sus noventa años no le impidieron trasladarse desde Morelia para estar aquí entre la gente. Mis amigos y compañeros de la escuela, los vecinos del condominio donde vivimos y por supuesto cientos de jóvenes, a quienes les he pedido que sean el cuerpo de élite, la primera línea en el frente de lucha electoral.

Además, los grandes protagonistas. Los militantes del PAN, cuyo testimonio de lucha ha sido para mí un alimento para el espíritu. Ahí los militantes generosos, entregados, trabajadores, a quienes varios años de descalabros electorales tenían desanimados. Sé que ahora les ha vuelto el ánimo y el alma a raíz de la contienda electoral interna. Sé que la esperanza, la certeza de un triunfo comienza a renacer, y como la llama de un fuego que apenas enciende, hay que avivarla intensamente.

En el presidium estaban los invitados especiales, el presidente del partido Manuel Espino, empresarios que sin conocerme bien creyeron en mí, como Manuel Arango, Manuel Negrete el gran futbolista, líderes de organismos de la sociedad civil convocados por el partido, Josefina Vázquez Mota, excolega de la Cámara de Diputados y del gabinete presidencial a quien estimo entrañablemente y que después sería la coordinadora de mi campaña. Junto a ella, secretarios de Estado amigos y compañeros como Rodolfo Elizondo y Florencio Salazar, los únicos que me acompañaron en el arranque de mi precampaña interna al momento de mi registro. Además Fernando Canales, Fernando Elizondo, Francisco Salazar, Luis Ernesto Derbez, todos ellos secretarios de Estado, Patricia Espinosa, Ana Teresa Aranda, Luis Pazos y otros miembros del gabinete.

Como siempre en los momentos decisivos de mi vida, Margarita me acompaña. De acuerdo a lo previsto, faltando unos minutos para las once de la mañana, nos encaminamos al presidium a través de una larga pasarela. Nos acompañan nuestros tres hijos. Los niños, a quienes en ocasiones como ésta les toca la difícil tarea de entrar en un mundo distinto, están con nosotros. Se divierten enormemente con la nube de confeti iluminada profusamente. Entra una multitud que aplaudía y saludaba entusiasmada con las manos levantadas, entramos los niños, Margarita y yo.

Este día resume toda una vida de lucha política; es un momento crucial en una ruta que comenzó muchos años atrás, desde mi infancia en Morelia, y continuó en distintas contiendas en pos de distintos puestos de elección popular, desde las candidaturas a diputado federal y posteriormente a gobernador de Michoacán, para luego llegar a ser dirigente del PAN.

Como procede en estos casos, el primero en hablar es el Presidente nacional del partido, Manuel Espino, quien afirma:

> Estamos aquí con el mejor candidato, un hombre joven, con visión de futuro, formado en los principios y en los valores del humanismo político, con una sólida trayectoria partidista y una limpia carrera en el servicio público, que puede ver a su esposa, a sus hijos y a cada mexicano; decente, surgido de un proceso legítimo, auténticamente democrático y reconocido como ejemplar por propios y extraños. Estamos aquí

unidos en armonía, orgullosos de nuestros militantes y de nuestros servidores públicos; orgullosos, muy orgullosos de tener liderazgos de la estatura moral y política como muchísimos hemos pedido en nuestra historia.

Panistas de México: ¡Aquí tenemos a nuestro líder, aquí tenemos a nuestro candidato, aquí tenemos al próximo presidente de México!

El discurso es breve y concreto, y logra calentar el ambiente, de por sí ya exaltado; luego se realiza el acto de toma de protesta y entonces tomo el micrófono para dar mi primer discurso como candidato del PAN a la Presidencia de la República:

Con emoción y con un profundo sentido del compromiso acepto con gusto el alto honor y la responsabilidad de ser el candidato de Acción Nacional a la Presidencia de la República. Lo hago con la convicción de que es el cumplimiento del deber cívico lo único que puede salvar a México. Lo hago con la alegría de quien empeña su vida en buscar un México distinto y mejor. Lo acepto, amigos, y además les prometo una cosa: no sólo voy a ser el candidato del PAN, también voy a ser presidente de México. Gracias a todos los militantes del PAN y gracias también, ciudadanos libres líderes de la sociedad civil que sin ser panistas están compartiendo aquí con nosotros anhelos y esperanzas. Quiero agradecer también y muy especialmente a todos ustedes, amigos, que tras largas horas de camino no alcanzaron lugar en este recinto del Palacio de los Deportes y que están allá afuera y se mantienen firmes a las puertas del recinto. Gracias a todos.

Este acto es transmitido simultáneamente por dos canales de televisión abierta y por varias radiodifusoras, por lo que saludo a los que "desde su casa nos observan y nos escuchan a través de la radio y la televisión". También envío un saludo al presidente de la República, quien tuvo el coraje de guiarnos en la página histórica del año 2000; luego expreso:

A nuestra generación le tocó presenciar la caída del Muro de Berlín, el surgimiento de Internet, la apertura económica del Asia Comunista. A nosotros nos tocó ver en México el fin del autoritarismo y el inicio de la vida democrática, en el mundo el fin de la guerra fría y la acelerada integración global. Vimos la caída del socialismo real y al mismo tiempo vemos surgir nuevos y cada vez más violentos terrorismos. También vivimos en México el fracaso estrepitoso del estatismo y del populismo. A nosotros nos tocó pagar el precio de la demagogia, el precio del gobierno irresponsable y corrupto, de ese ogro filantrópico que gastó el dinero de todos y endeudó al país por varias generaciones. Por eso, a la nuestra le llamaron la generación de la crisis: siempre una crisis en puerta, siempre una devaluación que lo echaba todo a perder; siempre los precios hacia arriba; siempre el desempleo; siempre la desesperanza. Pagamos el precio de los demagogos y los corruptos, que no son otros, son los mismos con los que ahora competimos porque no es casualidad, amigas y amigos, que en esos gobiernos priistas, demagogos y corruptos, trabajaban muy contentos tanto Roberto Madrazo como Andrés Manuel López Obrador. [...] Nuestra generación tuvo que abrirse paso sin democracia y sin crecimiento económico. Las dos últimas décadas, México tuvo que reinventarse; reinventarse en economía, en la sociedad, en la cultura y en la política. La mitad de nuestra vida hemos participado en esta reinvención de México. Pasé mi juventud al lado de ustedes, en la trinchera de la política hecha con principios, en la lucha pacífica por el establecimiento de la democracia en México y en la búsqueda de una vida mejor y más digna para todos los mexicanos. Me tocó ver el fin del reparto agrario, la autonomía del Banco de México, el reconocimiento de la libertad religiosa; participar en la creación del IFE ciudadano y, por supuesto, en la caída de la mayoría hegemónica del PRI. En el año 2000, luchamos juntos por sacar al PRI de Los Pinos, y lo logramos y desde aquí le digo al PRI que nunca regresará. En síntesis, amigos, les digo amigos que a mucho orgullo yo soy de la generación que derrotó al PRI de ayer y que va a derrotar al PRD de hoy.

Vamos a dejar atrás, dejemos atrás y para siempre la caricatura que se ha hecho de nosotros, el México que viene, amigas y amigos, el México por el que luchamos no va a estar tirado en el piso, no va a estar con la cabeza agachada y cubierta por el sombrero, va a estar puesto de pie y va a estar mirando de frente al mundo seguro de sí mismo.

La toma de protesta fue un punto culminante en esta última parte de mi vida. Con ella terminaba formalmente el proceso electoral interno que me llevó a ser el candidato del PAN a la Presidencia de la República. Al mismo tiempo, era el inicio del proceso electoral más competido en la incipiente democracia mexicana. Desde entonces definí que la elección era, entre otras cosas, una decisión entre el pasado y el futuro:

La elección del 2006, será distinta a la del 2000. La elección del 2000 fue una elección de transición y alternancia. Hoy la del 2006 será una elección que definirá el rumbo de la nación.

La disyuntiva que se abre a México nos obliga a decidir a todos los mexicanos entre dos opciones. Entre el pasado y el futuro. El pasado es desde luego el PRI. Un pasado de corrupción y de complicidad que le ha hecho daño a México y que no debe volver. El pasado también es el PRD. Una visión equivocada de un mundo que ya no existe. Una economía cerrada, donde la competencia de otros países era inexistente e irrelevante, y donde se pensaba que el dinero del gobierno alcanzaría para todo.

Esas visiones del pasado llevaron a los mexicanos al fracaso. La irresponsabilidad de quienes condujeron el destino del país dejó a varias generaciones de mexicanos sin oportunidades, sin trabajo y sin presente.

En México el pasado parece ser siempre más fuerte que el futuro. Sin embargo, hoy el reto es hacer más fuerte al futuro que el pasado. El pasado no puede cambiarse, pero el futuro sí. México tiene una rica historia, pero no podemos vivir obsesionados por el pasado. Hay que vivir hacia delante, hay que vivir y tener proyectos que nos permitan ganar una vida mejor para cada mexicano.

Es hora de que esta larga transición democrática y económica llegue a su fin. En esta hora de definiciones, es el momento de que una nueva generación de mexicanos tome la conducción de México.

A las generaciones de mexicanos de este siglo, las convoco a no anclarse en el pasado y a decidirnos a construir de manera resuelta un mejor futuro de México.

Gómez Morín, ese gran mexicano, convocó a su generación de jóvenes en la década de los veinte a participar en la reconstrucción del país una vez concluida la etapa armada de la Revolución Mexicana.

La generación de jóvenes de Gómez Morín fue la generación del gran viraje revolucionario. A la generación de los mexicanos de hoy, la convoco a ser la generación del gran viraje democrático.

El gran reto del México de hoy, el reto de nuestra generación, es hacer que la democracia sea una historia de éxito, es hacer de México un país ganador.

Es un reto histórico porque México no había vivido nunca en su historia una etapa democrática estable. Es hora de vivirla plenamente y sin retrocesos.

Yo quiero un México liberado de sus complejos y tabúes. Un México en el que en lugar de enterrar nuestros talentos y quejarnos amargamente de nuestras carencias, se aprovecha al máximo cada uno de sus recursos y se los pone a producir, y se le entrega a las nuevas generaciones una riqueza multiplicada y mejor distribuida.

Manuel Gómez Morín.

Manuel Gómez Morín (1897-1972)

Nació en Batopilas, Chihuahua. Estudió la Preparatoria en León, Guanajuato y se recibió de abogado en 1919 en la Universidad Nacional. Formó parte del grupo de jóvenes conocidos como "Los Siete Sabios". Fue secretario de la Escuela Nacional de Jurisprudencia, y a los 22 años de edad, subsecretario de Hacienda y Agente Financiero de México en Nueva York. A su regreso fue director de la Escuela Nacional de Jurisprudencia, consejero económico y jurídico de los presidentes Álvaro Obregón y Plutarco Elías Calles, sin percibir remuneración por ello. Diseñó y redactó la Ley Orgánica del Banco de México y fue presidente de su primer consejo de Administración. Con la premisa de que los ideales revolucionarios como el municipalismo y el agrarismo no podrían realizarse sin asesoría profesional y crédito suficiente; también fundó El Banco de Crédito Agrícola y el Banco Nacional Hipotecario y de Obras Públicas, de los cuales redactó sendas leyes y fue el primer presidente de su Consejo de Administración. Fue rector de la Universidad Nacional del 23 de octubre de 1933 al 26 de octubre de 1934. Durante su rectorado la Universidad logró alcanzar su carácter de autónoma, tras una lucha política y estudiantil bajo su liderazgo. Elaboró también el primer Estatuto de la Universidad Nacional, acorde con la autonomía obtenida. Fue miembro de la primera Junta de Gobierno de la UNAM en 1945 y recibió el doctorado Honoris Causa de la UNAM en 1934. Convocó a la Asamblea Constitutiva del Partido Acción Nacional en 1939 y lo presidió durante diez años.

Los primeros días

El inicio de mi participación política respondió a una circunstancia familiar y personal. Ciertamente desde la óptica infantil las cosas cobran otra dimensión, e incluso temas tan escabrosos como la violencia electoral podían ser vistos de una manera casi festiva, pero para los adultos, en particular para mi padre, las circunstancias eran completamente distintas. Su participación política y su activismo en el PAN habían comenzado mucho tiempo atrás. Fue fundador, cronista y candidato perpetuo del PAN, contendió siete veces por puestos de elección popular. Finalmente fue diputado federal en 1979. Él había nacido el 27 de febrero de 1911. Curiosamente, en esa misma fecha habían nacido, en diferentes años, dos mexicanos a los que estimó: don Manuel Gómez Morín, "El Maistro", y José Vasconcelos. Para mi padre el primero fue sin duda su gran inspiración la mayor parte de su vida. De Vasconcelos admiró su paso por la rectoría de la Universidad y su campaña presidencial. Cuando los caminos de ambos se bifurcaron, desde luego que siguió a Gómez Morín.

El abuelo de mi padre, también llamado Luis Calderón, era originario de Atapaneo, un pequeño y pobre poblado aledaño a la ciudad de Morelia. Según él era "introductor de ganado", aunque en el pueblo todo mundo decía que era "arriero", según relataba mi padre con ese enorme sentido del humor que conservó a lo largo de su intensa vida. Su hijo Luis Calderón Ochoa, mi abuelo, era zapatero, "zapatero de banquito", según precisaba papá, y logró establecer una modesta zapatería en la esquina del Portal Matamoros, llamado así porque ahí fue fusilado ese insigne insurgente, don Mariano. "La Criolla", que así se llamaba el establecimiento, estaba en la esquina justo debajo del ahora Hotel Virrey de Mendoza, y en ella se vendían los zapatos fabricados artesanalmente ahí mismo y algunos distribuidos comercialmente.

A los cuatro años de edad mi papá quedó huérfano de madre, pues ésta, Luisa Vega, murió al dar a luz a mi tía Esperanza, quien es religiosa del Espíritu Santo. El abuelo Luis se volvió a casar, pero por alguna razón propia de la época, mi padre y sus hermanas se fueron a vivir a casa de sus tías paternas.

Las tías Calderón tenían su propia personalidad. Solteras y conservadoras, devotas, tenían un sentido profundo acerca de sus convicciones y de su profesión: el magisterio. La jefa de tan singular matriarcado era definitivamente la tía Lolita, maestra universitaria. De hecho, Dolores Calderón fue la primera y durante algunos años la única mujer egresada de la Universidad Michoacana de San Nicolás de Hidalgo. Una verdadera proeza realizada a principios del siglo XX.

La tía Lolita se encargaría de sus hermanas, de sus sobrinos Fernando, Elisa, Margarita, Luis (mi padre) y Esperanza. El abuelo tuvo otra hija en su segundo matrimonio, la tía Soledad, casada con Luis Torres Villicaña, cuyos padres, puestos en la necesidad de alimentar a sus hijos en una circunstancia de hambre y penuria en la que no tenían más que los frutos ácidos de un árbol de membrillo, inventaron por causalidad el "ate", cuya industria conservan y que ha hecho célebre a mi ciudad natal.

Don Luis Calderón Vega.

Fernando Calderón, hermano de mi padre, fue uno de los médicos más prestigiosos de Morelia. Le decían "El Píldoro", y luego simplemente "Pildo". Este apodo, sin embargo, se transmitió con todos sus haberes a mi padre, y desde muy joven fue llamado así por sus amigos y por todos los que lo conocían.

Aunque dedicó gran parte de su vida a su militancia política en el PAN y a la dirección de las juventudes católicas, mi padre se definía como escritor y lo era: desde muy joven ya había escrito novelas, ensayos y crónicas. En un texto que se titula precisamente "Vocación de escritor" dice:

Creo que uniendo en este trabajo lo que podría llamar con petulancia mi desarrollo intelectual y vocación política, he encontrado el más grato trabajo que permite sobrellevar con buen humor las cargas y contratiempos que todo trabajo encierra. Y espero que si Dios me presta vida, en no más de un año volveré a refugiarme en el amor de mis hijos y en la comprensión de mi Pituca, y aquí podré seguir escribiendo libros, que es la más honda vocación que Dios me ha señalado.

Según creo, si la memoria no me engaña, lo primero que escribí fue *Historia novelada de hazañas cristeras* de mis andanzas, quizá por 29 y 30; por allí entre mis montones de papeles debe andar el original manchado, pues Lolita lo escondía hasta debajo de las macetas. Creo que después fue la novela *Que un viejo amor*, que empastada conservo, pero ninguna de estas dos novelas se ha publicado.

Don Nadie estudiantil nació de un viaje que a Guanajuato hice acompañando a Gor y sus compañeras a presentar examen recepcional en aquella Normal, pues habían sido expulsadas de la de Morelia. Pude editar el guión gracias a que mi hermano me obsequió un cheque postal de sesenta pesos para un traje. Giro que ingresé a "Fimax" de inmediato; por cierto, que casi toda la edición se perdió en el despacho de Chapela cuando éste lo vendió precipitadamente para marcharse a Baja California. Esto sería tal vez en 1935.

Vino después *Retorno a la tierra*, novela lírica que mis compañeros alentaron en Madrid y que publiqué en la Editorial Jus, pagando peso sobre peso.

Mucho tiempo después apareció *Cuba 88*, producto de una conferencia a la que me invitó el Seminario de Montezuma, Nuevo México. Eso nos permitió hacernos del Opel y años después, en Morelia, publicamos la segunda edición.

Enseguida vinieron *Los Siete Sabios de México*. Semblanzas de éstos y entrevistas con los sobrevivientes. Hace tres años quizá, Armando Ávila Sotomayor, de la Editorial Jus, publicó una bella segunda edición.

Enseguida, el gran éxito que nos permitió comprar el terreno de esta casa: *El 96.47% de los mexicanos*, fruto de unas cincuenta conferencias dictadas en aproximadamente cuarenta y cinco ciudades del país, en una campaña de Acción Católica.

[...] quizás pudiéramos contar por miles y miles las cuartillas escritas y ciertamente miles publicadas en periódicos y revistas. Y si de oratoria se trata, serían miles de casetes, si se hubieran grabado discursos y conferencias; pues he pensado que si Dios me dio algunos talentos evangélicos y el espíritu me dotó de dones, nunca he debido encerrarlos sino ponerlos al servicio de la verdad y del bien para los demás.

Mi padre, Luis Calderón Vega, había sido fundador del PAN. Durante toda su vida fue un hombre absolutamente comprometido con sus ideales. Aún adolescente, fue correo entre los cristeros asentados en la loma de Santa María, a las afueras de Morelia. Le tocó sufrir incesantes persecuciones por razones políticas y religiosas: fue expulsado de la Universidad Nicolaíta y luego le cerraron la Escuela Libre de Michoacán, de la cual era estudiante y bibliotecario.

Sin embargo, fue siempre un líder político. Contribuyó a la organización de la Unión Nacional de Estudiantes Católicos, una federación de universitarios con un gran compromiso social y religioso. Antes del Concilio Vaticano Segundo, estudiaban la labor social y comunitaria de Vasco de Quiroga, y cuestionaban la falta de compromiso y de testimonio cristiano en las altas esferas de la aristocracia católica, aunque respetaban y obedecían a la jerarquía. Aun con muchas coincidencias, mantenían su distancia de grupos tradicionales de la Acción Católica de la Juventud Mexicana. Con el tiempo fueron surgiendo grupos radicales, los "Tecos" y los "Conejos", que actuaban en secreto y que asumieron posiciones de derecha radical, y con los cuales por supuesto tenía diferencias insondables.

No era extraño que mi padre hubiese tomado tan apasionadamente la causa del PAN. Después de la lucha por la autonomía universitaria, acompañó a Gómez Morín en el grupo de universitarios que participó en los trabajos preparatorios a la fundación del PAN, a quienes convocaba generalmente en su despacho de la calle Isabel la Católica, en la Ciudad de México. Desde 1939, fecha de la fundación del PAN, trabajó intensamente. Fue uno de los primeros 21 candidatos a diputado federal en 1942. Se casaría con mi madre once años después, a los 42 años de edad, sin dejar un momento su compromiso con la organización del partido.

La experiencia familiar estuvo entonces siempre impregnada de esa atmósfera de compromiso. Evidentemente, había cosas que de niño no entendía. Por ejemplo, el ver cómo un grupo de amigos de mi padre llegaban a la casa circunspectos a persuadirlo de que aceptase —por enésima vez— ser candidato de Acción Nacional. Él aceptaba a sabiendas de que nadie más aceptaría. Mi madre lo apoyó siempre, aunque sufría porque ello por lo regular implicaba que mi padre fuese despedido de su trabajo y que la economía familiar menguara mucho más allá de sus límites, de por sí estrechos.

A nosotros, niños al fin y al cabo, todo aquello nos parecía muy divertido. En tiempo de elecciones el ambiente era festivo en mi casa. Sabíamos que, a nuestra manera, teníamos que ayudar en la campaña de mi papá. Mis hermanos y yo, desde muy pequeños, pegábamos propaganda: primero hacíamos el engrudo, luego doblábamos los trípticos en los que estaba impreso el logo del PAN en tinta azul, y por la tarde salíamos a repartir la propaganda casa por casa. Ya muy noche, como a las dos de la mañana, íbamos a pegar los carteles en los postes. Uno de nosotros tenía que cargar la cubeta, otro cargaba la escalera o llevaba la brocha. Nos íbamos turnando en brigadas de tres. Esto debía ser al amparo de la oscuridad, porque de lo contrario podríamos tener problemas. Las brigadas de la CTM nos podían reprimir: es de todos sabido que el PRI tenía un control total del poder, y los miembros de este partido se podían volver muy violentos; algunos incluso estaban muy alcoholizados, pero nosotros ya sabíamos evadirlos.

Acompañábamos a papá a la campaña. Tenía adaptada una camioneta Renault 4, que había conseguido para el partido, la cual tenía pintado el emblema del PAN en el cofre, que se abría hacia delante. Una vez abierto, sobre el motor colocábamos dos tablas y encima de ellas hablaba mi padre a través de bocinas colocadas en el techo de la camioneta. Le daba lo mismo colocarse afuera de un mercado que de una iglesia o en las plazas públicas. Esto pasaba desde que tengo memoria. Ese fue mi primer contacto con la política.

Tenía cinco años de edad cuando fue la campaña del doctor Rafael Morelos Valdés a la gubernatura de Michoacán. Mi mamá había ido a cuidar una casilla que estaba justo en el cuartel militar de la zona. En esa casilla había ido a votar un encumbrado dirigente priista , y a la postre un abogado y rector universitario respetado: Marco Antonio Aguilar Cortés. Al llegar a la casilla, había votado públicamente por el PRI. Mamá le recogió el voto, lo rompió y dijo que el voto era secreto, obligándolo a votar otra vez conforme a la ley. Yo escuchaba su relato subido a su cama la mañana del día siguiente a la elección, pues ella había llegado tarde a la casa. ¿Y quién ganó? Le pregunté con la misma curiosidad con la que mis hijos me preguntan ahora quién va ganando en el proceso electoral. Entonces mamá no tuvo una respuesta clara, sino gestos de ternura y comprensión. Era difícil explicarle a los hijos lo que el PRI y el régimen autoritario que vivíamos significaban.

Pocos años después pude hacerle una pregunta equivalente a mi papá. Estábamos doblando propaganda en la mesa de la casa y le dije que un compañero de la escuela me había dicho que aunque él ganara la elección, de todos modos no se la iban a reconocer. Para mi sorpresa, mi papá contestó directo: "Probablemente. Es posible que aunque ganemos no me reconozcan el triunfo", dijo para mi asombro. "Entonces

¿qué caso tiene lo que estamos haciendo? ¿Por qué continuar en esa lucha a sabiendas de que nunca se reconocería un triunfo legítimo? ¿Por qué seguirlo haciendo?" Su respuesta, que tengo firmemente registrada en la mente desde entonces, fue: "Lo que hacemos es por un deber, por el deber de hacer el bien, por hacer el bien más difícil de todos, que es el bien común, el bien de todos los demás. Y yo acepto hacerlo porque si no lo acepto nadie lo va a hacer y este país nunca va a cambiar." Yo me quedé callado. Y aunque tardé mucho tiempo en comprenderlo a cabalidad, en su respuesta estaba una de las claves de mi despertar político.

Mi padre no sólo tuvo inclinaciones intelectuales y políticas; también encontró tiempo y energía para dedicarlos a la militancia social y religiosa, al apostolado laico, en el que formó una sólida posición de liderazgo. Como ya conté, mi padre estuvo muy activo en la Unión Nacional de Estudiantes Católicos y ahí también coincide con don Manuel Gómez Morín. Se da un fenómeno muy curioso: predomina, apoyada por el gobierno, una ola muy dogmática, marxista, que encabezaba Vicente Lombardo Toledano y en la cual la pelea era por la autonomía universitaria. Como se sabe, la autonomía universitaria la impulsaron primero José Vasconcelos y luego Antonio Caso, y quienes la abrazaron buscaban la libertad de cátedra. La lucha del grupo hegemónico de la Universidad Nacional sustentaba: "Dado que la educación es científica y dado que la ciencia ha sido revelada como materialismo dialéctico, no tiene por qué haber libertad de cátedra." Era

En uso de la palabra, Efraín González Morfín. Al fondo,
don Luis Calderón Vega.

"Los siete sabios"

La generación de 1915 de la Escuela Nacional de Jurisprudencia
reunió a personas que habrían de ser notables en la vida nacional;
entre sus maestros, por ejemplo, estuvo Antonio Caso y con el
tiempo a sus alumnos se les conoció como "Los Siete Sabios". Ellos
son: Manuel Gómez Morín, Vicente Lombardo Toledano, Alfonso
Caso, Antonio Castro Leal, Alberto Vázquez del Mercado, Téofilo
Olea y Leyva y Jesús Moreno Baca. Entre sus planteamientos
ideológicos notables estaba el de ya no concebir a la revolución
como una lucha necesariamente armada.

una corriente muy dogmática, implacable. En ese proceso coincide una vertiente liberal de universitarios donde estaba Gómez Morín con la vertiente de la Unión Nacional de Estudiantes Católicos que presidía mi padre, y ganan la autonomía. Lázaro Cárdenas, ya presidente, le retira el financiamiento público a la Universidad Nacional. Como el gobierno organiza una colecta, deja de cobrar su sueldo, dejan de cobrar los maestros, se salva la autonomía y entonces Gómez Morín se sale de la universidad, pero sigue reuniéndose con estos grupos de maestros y estudiantes. De ese grupo político proviene mi padre.

Es fácil comprender que una figura tan singular como la de Luis Calderón Vega tuviera un peso decisivo en la formación intelectual y política de sus hijos, y no es fortuito que algunos nos hayamos dedicado a la actividad partidaria. Sin embargo, mi papá nunca presionó para que entráramos al PAN ni para que tuviéramos ningún tipo de afiliación. Fue un ejemplo a seguir por su vida y por su ética política, pero más allá de las largas conversaciones que sostuve con él en el Bosque Cuauhtémoc, aledaño a nuestra casa de Morelia, puedo decir que me indicó el camino del ciudadano y del cristiano en la política, y sin embargo nunca pidió mi militancia. Todo ocurrió de manera natural.

En tierras purépechas
Recuerdos familiares

Michoacán, mi estado natal, está enclavado en el occidente de la República Mexicana, en lo que fue el antiguo reino purépecha. Es rico en historia, en recursos naturales y culturales, se caracteriza por sus bosques, lagos, paisajes y ciudades de serena belleza. La palabra Michoacán proviene del vocablo náhuatl *Michihuacan*, que significa "lugar donde abundan los peces" o "lugar de pescadores" (aunque algunos historiadores postulan la versión, menos aceptada, de que el nombre deriva de la voz purépecha *Michmacuán*, que significa "lugar junto al agua"). En efecto, aunque la civilización purépecha tuvo como su gran ciudad capital a Tzintzuntzan, originalmente se asentó en la ribera del lago de Pátzcuaro y esto determinó la economia de sus moradores. Recientemente esto se ha visto afectado por la contaminación y el riesgo de extinción del lago.

Esos bellos lagos han marcado la actividad económica y en general la vida de los michoacanos desde los tiempos en que el gran señor Tariácuri condujo a su pueblo a un esplendor económico, militar y político que ni sus feroces vecinos de México Tenochtitlán pudieron sojuzgar.

La capital, Morelia, cambió su nombre anterior de Valladolid para honrar el nacimiento en 1795 del que a mi juicio es el más grande de los héroes nacionales, el presbítero José María Morelos y Pavón, estratega del movimiento independentista. De la época de la ocupación colonial española heredó Morelia sus majestuosas casas y palacios, muestra sin igual del barroco nacional. El centro histórico de Morelia ha resistido todo. Las pintas de las "Casas del Estudiante", que durante décadas fueron acabando con las canteras milenarias. El ambulantaje que se asentó desde principios de los ochenta y destrozó el entorno. En 1995, cuando fui candidato a gobernador, logramos ganar la capital. Entonces Salvador "Chavo" López realizó un proyecto y echó a andar la reubicación de ambulantes. A pesar del franco sabotaje del gobernador priista Tinoco Rubí, la limpieza del centro pudo realizarse después. Hoy Chavo gobierna nuevamente y Morelia luce todo su esplendor, y su monumentalidad ha refrendando que la ciudad fuese declarada Patrimonio Mundial de la Humanidad por la UNESCO.

Mas con todas esas riquezas silvestres, agrícolas, acuíferas y culturales, Michoacán es uno de los estados de donde salen más emigrantes hacia el vecino país del norte en busca de mejores horizontes, y a ellos me refiero hoy en el pueblo de Charo, que además de pintoresco es histórico, pues ahí Miguel Hidalgo encomendó a José María Morelos el mando del Ejército Insurgente en el Sur, y con ello prácticamente le encomendó el relevo de la lucha:

Yo, al igual que ustedes, tengo parientes que se han ido al norte, a Estados Unidos a buscar un sustento que no pudieron encontrar aquí, yo sé del dolor que tiene la gente, de la falta de oportunidades para salir adelante, y de eso se trata esa elección, del rumbo que queremos para México; y pensando en los dos millones y pico de michoacanos que están allá, pensando en ustedes, que veo en sus caras que ya se la han jugado, se la han rifado para cruzar y para volver, yo les digo, amigos, ¿qué será mejor, que un michoacano se vaya a los Ángeles, a California, a trabajar en un hotel allá o mejor quedarse aquí, con gente de Michoacán y que nuestra gente trabaje aquí? Yo, paisanos, en lugar de que un michoacano tenga que ir a trabajar a una empacadora al Valle Imperial o a una fábrica de Chicago, mil veces prefiero que se quede aquí, que aquí estén las empacadoras, en el campo michoacano, y estén aquí las fábricas en donde esté nuestra gente; de eso se trata, amigos, de que ya no se sigan dividiendo nuestras familias, de que ya no se sigan quedando solos nuestros pueblos.

Quiero que entendamos lo que le pasó a nuestro México. Para que crezca la economía, para que haya dinero para nuestras familias, se requiere que se junten dos cosas: el trabajo y el capital, son como el zapato izquierdo y el zapato derecho, nomás no se puede andar con uno solo, necesitamos los dos; y a Michoacán lo que le pasó es que tenemos mucha mano de obra, pero no tenemos inversión. Por eso se fue nuestra mano de obra para allá, a donde está el capital, en Estados Unidos, pero yo quiero que pase exactamente al revés, que en lugar de que se vaya nuestra gente, venga aquí la inversión, aquí donde está nuestra mano de obra, y que no se sigan dividiendo nuestros pueblos y nuestra familias, y vamos a hacer eso. Podemos hacerlo.

Yo lo que vengo a decirles, amigas y amigos, es que hay un camino, hay una manera de poderle dar vida digna a nuestra gente.

Michoacán. Perfil sociodemográfico

Población indígena: 289,319 habitantes, 7.1% de la población total.

Población total: 3'999,133 habitantes.

Población económicamente activa: 980,154 habitantes: 34% en actividades agrícolas, ganaderas, silvícolas y pesca; 23% en la industria manufacturera y de transformación, incluyendo artesanos y trabajadores de la construcción, de la electricidad, del agua, de la extracción y minero-metalúrgica; 37% en actividades comerciales, de servicios y de gobierno.

PIB: 2.29% en relación al total nacional.

Nací en Morelia el 18 de agosto de 1962 y hoy regreso a mi ciudad natal en el autobús de campaña "El hijo desobediente". Este viaje no es uno más en la apretada agenda; el regreso a mi tierra natal, donde viví una infancia feliz a pesar de algunas vicisitudes provocadas por la militancia partidista de mi padre, me lleva inevitablemente a rememorar que cuando yo tenía siete años mi papá fue invitado a trabajar en las oficinas del PAN, para lo cual tuvo que irse a radicar a la Ciudad de México y visitarnos los fines de semana, a veces cada quince días. Esa fue una época muy difícil para toda la familia, especialmente para mi madre, porque la pobre tuvo que ser mamá y en muchos sentidos papá al mismo tiempo. Seguíamos una disciplina con rigor: antes de salir a la escuela, uno debía tender su cama, preparar su desayuno, lavar los trastes y luego ir a clase. Nos debíamos sentar a la mesa a comer a las dos de la tarde y la puerta se cerraba a las ocho de la noche en punto. Quien no estaba a las ocho no entraba en la casa y así le iría. La verdad es que yo le agradezco esa educación. Pese a muchas limitaciones, tuve una infancia y una adolescencia muy felices, una vida tranquila.

Mi hermana Luisa María cuenta esto sobre la familia materna:

Mi mamá fue la octava de dieciséis hijos. Cuando ella tenía pocos años, por los años treinta, se cierra su escuela, una escuela de monjas, y a ella y a tres de sus hermanas las mandaron a un internado a Pénjamo. Ella era la mayor de las cuatro y es quien se responsabiliza de todas. Eso la vuelve una mujer muy responsable, muy exigente.

Cuando éramos chicos, ella era muy dedicada a su casa, una mujer muy limpia, pero no hacía ella toda la chamba, nos repartía el trabajo. Desde muy chiquitos a todos nos acostumbró a hacer tareas de la casa. Así, hubo un tiempo en que Juanito ponía la mesa en la noche, otro hermano lavaba los trastes, o iba a los mandados. Todos teníamos que hacer nuestras camas. Siempre hubo tareas de casa. En vacaciones teníamos que pintar los marcos de las puertas y ventanas. También era muy buena cocinera. Comíamos sopa de fideos, frijoles, y cuando hacía algo que no nos gustaba, no podíamos levantarnos de la mesa hasta que terminábamos todo.

Mi madre había nacido en Puruándiro, Michoacán, el primero de julio de 1923, en una de las familias más numerosas que yo conozca, pues mis abuelos tuvieron dieciséis hijos, ocho hombres y ocho mujeres. Mi madre, María del Carmen Hinojosa, se hizo cargo de la casa en los distintos momentos en que su esposo hubo de alejarse para participar en la militan-

Doña María del Carmen Hinojosa de Calderón.

cia política o en contiendas electorales, y debió educar a sus cinco hijos con gran disciplina. Ella se dedicó al hogar, aunque había realizado estudios comerciales y trabajado con su padre ayudándolo en la contabilidad de los pequeños negocios que solía emprender para mantener a su familia, en lugar de estudiar medicina, que es lo que pretendía. Eran definitivamente otros tiempos, pero estoy más que seguro que hubiese sido una doctora extraordinaria. De todos modos estudió una carrera comercial en la Escuela de la Cámara de Comercio, donde seguramente pasó los mejores años de su juventud y donde conoció a sus mejores amigas. Ahí también conoció al grupo de amigos de mi padre.

Luis Hinojosa Murguía, mi abuelo, a quien siempre le dijimos "Papá Grande" había nacido en Morelia. "Mamá Grande" era de Coeneo de La Libertad, otro pueblo del Bajío Michoacano. Su padre, don Piedad, era un hombre dedicado a la cría de aves de corral y a él le heredó el gusto por el "conquián", célebre juego de cartas que practicaba la abuela todos los días después de comer mientras vivió en mi casa.

El abuelo materno hizo de todo. Se dedicó a introducir la luz eléctrica a diversas poblaciones, entre ellas Zitácuaro, la cuarta más grande del estado, y desde luego Puruándiro, donde se estableció y tuvo a la mayor parte de su familia. Desde ahí vendía electricidad, cobraba un peso por foco. Mi madre recuerda que las cosas iban bien hasta que la gente comenzó a conectar extensiones en los "sóquets", que multiplicaban el consumo, pero no el pago.

Les tocó vivir desde luego tiempos difíciles. Asolaba entonces aquellas tierras un grupo de bandoleros. Uno de los personajes más sanguinarios de la Revolución, Inés Chávez, merodeaba por aquella región al mando de una gavilla de bandoleros que en nombre de la Revolución cometían todo tipo de desmanes, asesinatos, violaciones, saqueos. Alguna vez llegaron hasta las puertas de la casa de Luis Hinojosa, atrancada a piedra y lodo. Las hijas estaban en algún escondite de la casa. Tocaron, pero nadie les abrió. Por alguna razón milagrosa no entraron por la fuerza.

Con el tiempo, el abuelo se especializó en el tema eléctrico. Compraba electricidad a la "Guanajuato Power". Después construyó un generador en la zona de Villachuato, en Botello, en una caída de agua. Posteriormente instaló máquinas de generación de electricidad a base de diesel. Alguna vez, narrándole esta historia a don Leonardo Rodríguez Alcaine, líder del Sindicato de Electricistas cuando yo era secretario de Energía, me comentó asombrado que él conocía esa historia, puesto que estaba en la cuadrilla que fue a Puruándiro a tomar posesión de esas máquinas en nombre de la Comisión Federal de Electricidad.

Cada vez que el abuelo terminaba por alguna razón un negocio, tomaba a su familia y emigraba. La entonces larga travesía de Puruándiro a Morelia se hacía en carretas tiradas por mulas, donde todos o parte de los dieciséis hijos acompañaban a sus padres y sus pertenencias. Después el abuelo tendría una congeladora de fresas, fábricas de hielo y otras cosas.

Mi padre le llevaba doce años a mi mamá. Cuando se casaron ella acababa de cumplir 30 años y mi padre 42 —por cierto que los padrinos de mi padre fueron nada más y nada menos que don Manuel Gómez Morín y don Efraín González Luna, quienes llegaron tarde al casorio—. Mis padres se conocieron por amigos comunes. Él la pretendió por mucho tiempo, pero desde que se hicieron novios ella se convirtió en una especie de Penélope, pues hubo de esperar un largo noviazgo: mi padre iba y venía de Morelia al D.F. No sólo viajaba hacia la capital del país sino que hizo varios viajes a otros países, después de dirigir la Unión Nacional de Estudiantes Católicos dirigió la Confederación Iberoamericana de Estudiantes Católicos, lo que lo obligaba a ir a congresos a distintas partes del mundo, como cuando fue a Lima, y le tocó un golpe de Estado y tuvo que quedarse en Perú por unos meses. También fue a Roma a un congreso de Pax Romana y algo pasó en el camino que se quedó en España por algún tiempo. Al regresar de cada uno de estos viajes hablaba con mi madre, mi madre empezaba a tejer un mantel para la boda, lo guardaba en un cajón y así seguía esperándolo. Luego venían las cartas, las crónicas de los viajes inimaginables, los avisos de próxima visita. El bordado salía del cajón y nuevamente manos a la obra. El mantel fue el símbolo de esa larga espera. Tuvieron un noviazgo muy largo y casi por correspondencia, hasta que por fin se casaron en 1953.

Fueron felices. Mi madre no tenía filiación política, aunque por lo que supe mucho tiempo después, mi abuelo fue sinarquista. Una vez mi mamá recordaba que mi abuelo la había llevado a una gran manifestación donde había sido la abanderada. Pero mi madre nunca se involucró en política hasta conocer a mi papá, aunque mis tíos, hermanos de mi mamá, sí entraron al PAN influenciados por mi papá. El mayor de todos, Luis Hinojosa González, un ingeniero muy próspero de Puebla, fundó el PAN en ese estado y fue un pilar del partido en la entidad, llegando incluso a ser candidato a gobernador en los años setenta. De sus hijos, uno fue alcalde de Puebla, Gabriel Hinojosa, y la otra fue diputada y hasta hace poco delegada del sistema de migración. Esa es la historia de mi mamá, una mujer conservadora, aprensiva y muy inteligente.

Pero volvamos a la campaña. En Morelia, en una comida con empresarios, buena parte de las caras me son conocidas. Luego del protocolo de bienvenida, me dirijo al público en estos términos:

> Nuestros jóvenes, de los que cada año se incorpora más de un millón a la fuerza de trabajo, están peleando su chamba contra los de aquí, pero además contra una muchacha de su edad en Singapur, en Malasia, en Bangladesh, en la India, en China, en Polonia… en fin, en todo el mundo. Hoy una empresa puede decidir con la mano en la cintura si se retira de aquí y se va a Malasia o a Texas. El problema de México es que no nos incorporamos a un mundo donde se compite con ferocidad. […]

La opción es hacer que nuestra economía compita de tú a tú en el mundo. Durante las olimpiadas del 68 Díaz Ordaz dijo que lo importante no era ganar sino competir y no faltó algún funcionario del deporte que corrigiera: "lo importante no es competir, sino viajar", y parece que ahí sí somos competitivos. Pero cuando se trata de empleos y de inversiones, lo importante no es sólo competir, lo importante es ganar. Yo quiero que México se avoque a ser competitivo y ganador.

En la economía global, los precios se determinan internacionalmente, desde una tonelada de acero hasta un kilo de maíz; como no podemos modificar los precios, nuestro reto es modificar los costos de las empresas productivas, nuestro reto es aligerar la carga de quien invierte y produce en México. ¿Cuáles son los costos que tenemos? Para ustedes, ya sea que tengan negocios o fábricas, costos muy fuertes son la electricidad, el gas, los impuestos —incluyendo lo complicado que es pagarlos—, las regulaciones burocráticas, la falta de infraestructura. El mismo costo de los peajes en las carreteras nos saca del mercado. [...]

Yo no quiero privatizar ni Pemex ni la CFE, pero sé que si alguien pone de su lana y pone aquí en Morelia o en Tarímbaro una planta de electricidad y además le da trabajo a la gente, si no le venden electricidad a buen precio se va a ir a otro país en donde sí se la vendan. ¿Por qué no hacerlo, por qué no permitir eso? Eso es lo que yo quiero, eso es lo que estoy buscando. […] ¿Por qué no permitimos que alguien ponga de su lana, se asocie con Pemex, ponga una refinería en Tierra Caliente, en donde no hay, en donde sólo hay miseria y se le da a la gente alternativas de crecimiento? […]

Podemos hacerlo, lo mismo en los impuestos; miren, ¿qué es lo que nos pasó en estos últimos 15 años? Cuando cae el muro de Berlín muchas economías se dedican a cambiar, y esos países se están llevando las inversiones que pudieran venir a México. Hungría tiene un impuesto sobre la renta del 18%; Eslovaquia, del 19%; Chile, del 17%; China, del 15%, y aquí pagamos el 30%, más nómina, más Seguro Social, más INFONAVIT y además, en lugar de hacer como en esos países, que pagan a una sola tasa, aquí es "a ver dime en qué tabla de ingresos te ubicas", y para calcular consíguete un buen contador. Respeto a los contadores, no crean que tengo nada contra ellos, pero la verdad no es posible que para pagar impuestos todos necesitemos a un contador. Hasta el secretario de Hacienda necesita un contador. […]

Otro eje de la economía competitiva es el desarrollo regional, fincado en ejes articuladores como la infraestructura. México tiene gran necesidad de ella, y la infraestructura se paga sola. Claro, una carretera no la pagas en diez años pero sí en veinte, con los ingresos derivados de ella misma. ¿Qué necesitamos hacer?: compromisos muy claros de inversión pública pero también mecanismos facilitadores del mercado. Aquí tenemos una gran oportunidad: como todos somos jóvenes, nos vamos a retirar en unos treinta años; ahorita no hay dinero para pagar nuestras pensiones, las Afores andan desesperadas consiguiendo los bonos, necesitan inversiones que paguen alto rendimiento dentro de treinta años para pagar las pensiones. Ese es un pasivo de largo plazo, pero podemos tener activos de largo plazo que permitan pagar esos pasivos. ¿Cuáles? Los activos de largo plazo son de infraestructura. Los recursos de una carretera, como la que ahora está haciendo el gobierno federal en colaboración con el de Michoacán. Se paga la carretera en veinte años y de 22 en adelante son ingresos netos, se pueden pagar pasivos. Entonces necesitamos hacer un mercado financiero eficiente que pueda empatar los bonos carreteros con los pasivos de las Afores.

Otro eje es apostarle fuertemente al turismo. Miren el caso de España: hace treinta años tenía el mismo ingreso per cápita de México, no tiene petróleo, no tiene gas y sin embargo el turismo, junto con otras reformas, le dio tales beneficios que triplicó su ingreso per cápita. El turismo tiene un enorme potencial y

España tiene mucho menos días de sol que México; además, sus playas en comparación con las nuestras no tienen nada que hacer. Tenemos mucha mayor diversidad, nada más hay que echar un vistazo a nuestra querida tierra. ¿Qué necesitamos? Diversificar los lugares de visita turística, tenemos que romper con el turismo de sol y playa. Promoveremos el ecoturismo, y ahí podemos ser campeones, así como en turismo de cultura, arqueológico, de artesanía, de gastronomía. Miren: incluso el mismo turismo de sol y playa, que es tan vendedor, en Michoacán no lo hemos desarrollado.

Al acabar el discurso, muchos de quienes se levantan a aplaudir son antiguos compañeros de escuela o correligionarios, o por lo menos gente que conoce a mi familia, pues además de la participación de mi padre en la fundación del Partido y en su sostenimiento en Michoacán, los Calderón Hinojosa hemos tenido una activa representación política. Mención aparte merece el activismo político de mi hermana Luisa María, quien me lleva unos seis años. Siempre le hemos llamado Cocoa de cariño por su tez morena, mexicana por los cuatro costados. Estudió psicología en el ITESO de Guadalajara, y aun antes de recibirse comenzó a trabajar en lugares donde se requiere un enorme temple y fortaleza de carácter, como en Centros de Integración Juvenil, un instituto de atención de menores con problemas de adaptación o un centro para niños con síndrome de Down. En una ocasión en que fui a visitarla a Guadalajara me llevó a uno de esos lugares y realmente salí impactado, fue una experiencia muy fuerte. Mientras ella atendía a otros niños, me dejó en brazos a una niña de unos tres o cuatro años que tenía parálisis cerebral. Yo estaba impresionado pues esa niña, de un rostro suave, había quedado completamente inerte porque se había caído a una alberca en un descuido de sus padres y había sufrido daño cerebral irreversible. Recuerdo vivamente esa escena porque fue una manera brutal de toparme con la condición humana. Esa experiencia me dejó una sensación de tristeza, de coraje y de impotencia, al ver que no se podía hacer más que lo que la Cocoa hacía, llenarlos de atención y de cariño. Me dejó también la conciencia de la igualdad humana, más allá de la condición que a cada uno le toca vivir. En los Centros de Integración Juvenil, Luisa María estaba encargada de las terapias para sacar a los jóvenes de las adicciones. Los acompañaba hasta sus vecindades y alguna vez le tocó salir brincando tendederos para escapar de alguna riña o de una persecución policíaca. Es una mujer absolutamente comprometida con su profesión. Cuando regresó a Morelia, puso un consultorio privado. Milita en el PAN desde 1976, donde ha ocupado varios cargos como el de secretaria de Capacitación y Estudios del Comité Michoacán e integrante del Consejo Nacional. Secretaria nacional de Acción Ciudadana y directora nacional de Promoción Ciudadana. Fue candidata a presidenta municipal muy joven, y diputada local en Michoacán de 1983 a 1986, así como diputada federal.

Recientemente estudió una maestría en Antropología Social en la Universidad Iberoamericana. Para hacer su tesis se fue a vivir a Acxotla, un pueblo de Tlaxcala. Vivió en casa de lugareños para estudiar esa población, que por algún motivo era de donde provenía la mayor cantidad de prostitutas de la zona de la Merced. Sucede que en ese pueblo las casas de los "padrotes" son sostenidas y regenteadas por las mamás de ellos. Lo que hacen estos tipos para enganchar a las muchachas es ir por ellas a la sierra o a los pueblos, enamorarlas, casarlas y ya casadas ponerlas a trabajar, a "talonear". Un sistema terriblemente perverso.

Cocoa siempre ha sido una mujer muy valiente y siempre ha estado en la línea de fuego. Un momento crucial en la vida política del PAN lo representa el llamado "verano caliente" de 1986 en Chihuahua, cuando miles de ciudadanos se unieron a las exigencias del PAN para que el gobierno les respetara su voto en las elecciones a gobernador y alcaldes, y cuando muchos llegamos a plantearnos el dilema de si tenía sentido la actividad política o había que optar por otros medios.

Mi hermana Luisa María se involucró completamente en este movimiento. Con algún grupo de amigos participó en los talleres que impartieron en México especialistas en lo que se conoce como resistencia civil. Se trataba de líderes, algunos de ellos sacerdotes, que habían dirigido el movimiento

Los hermanos Calderón Hinojosa: Luisa María, Luis Gabriel, Felipe, Juan Luis y María del Carmen.

74

de resistencia civil de Filipinas cuando la caída del dictador Ferdinand Marcos. Ellos dieron un seminario en alguna casa de la Ciudad de México, en el que participaron unas diez o doce personas. Una de ellas era Cocoa, quien a partir de ese momento se volvió la experta en resistencia civil en el PAN junto con Mundo Gómez, un personaje entonces cercano a don Luis H. Álvarez, otro era Norberto Corella, un panista viejo ya fallecido a quien yo quise mucho y con Rafael Landerreche Gómez Morín, nieto de don Manuel Gómez Morín y quien finalmente se radicalizó, se fue a Tabasco y se convirtió en uno de los asesores principales de la resistencia civil de López Obrador.

Mi hermano mayor se llama Luis Gabriel, es médico, un ginecobstetra realmente muy bueno, que probablemente ostente un récord de cesáreas. Trabaja desde hace 25 años en el Instituto Mexicano del Seguro Social. En su juventud vivió intensamente los sesenta y todo lo que gustaba a la juventud de aquella época: fue fanático de los Doors, del rock pesado, del Tri, fue uno de los asistentes al concierto de rock de Avándaro y se quedó muy impregnado por esa época. En la actualidad, aunque ya es abuelo, sigue siendo un rockero de los sesenta. Tiene una colección de cerca de cuatro mil discos, primero coleccionaba acetatos, luego casetes y ahora discos compactos. Es una colección impresionante de música, tan grande que no puedo imaginar en qué momento la puede escuchar. Gabriel también es aficionado al automovilismo, yo creo que es uno de los mexicanos que más sabe de carreras de automóviles. Ha visto todas las que ha habido en México. Aprendió a leer inglés en revistas especializadas, conoce qué corredor, en qué año, con qué coche, qué motor, qué característica tiene, qué problemas tiene, sabe de memoria todos los detalles. En Morelia es comentarista de un programa de deportes, donde es el especialista en automovilismo. No está conectado con el PAN, salvo cuando hay elecciones y él es representante del partido en la Comisión Municipal Electoral. En esos momentos se vuelve realmente un guerrero en el camino. Un auténtico gladiador en las difíciles discusiones de las comisiones electorales.

Luis Gabriel nació en Morelia porque así quiso mi padre. Sin embargo, mis hermanas nacieron en la Ciudad de México, donde mis padres se habían establecido, en un departamento de renta baja en la calle de Monclova en la colonia Roma, muy cerca del Viaducto, que entonces acababan de construir. Deben haber disfrutado mucho esos años aunque vivían con modestia, pero seguramente con muchas ilusiones.

Mari Carmen, la segunda de las hermanas, un año menor que Luis Gabriel, me apoyó cuando la situación familiar era todo menos boyante, pues una vez más mi padre había aceptado trabajar formalmente en el PAN, lo que implicaba de nueva cuenta tener que irse a la Ciudad de México. Cuenta Cocoa que un rasgo característico de María del Carmen desde muy pequeña fue el sentido de responsabilidad hacia sus hermanos:

Mariquita se parece mucho a las mujeres de la casa de mi mamá. Cuando éramos chicas en Morelia, la gente la detenía en la calle para preguntarle si era familia de las Hinojosa, lo que a mí no me ocurría. Yo creo que ella heredó muchas de las tareas de mi mamá, y siempre fue la hermana más responsable. Si nos decían a tender las camas, yo me ponía a jugar con mis hermanos y ella cumplía con lo que le mandaban. Fue una niña muy aplicada, era muy capaz, muy ordenada… A la fecha es la responsable de decir "oigan, mi mamá necesita tal cosa y nos toca tanto", o "mi mamá cumple años, vamos a hacerle una fiesta, ¿les parece?" Es la que le ordena a mi mamá… es la que la lleva al doctor, la regaña si no sigue sus instrucciones, aunque mi mamá se enoje. Es la que se ha adjudicado la tarea de

77

administrar la casa. Estudió también una carrera comercial, la secundaria con comercio. Trabajó muchos años en Nacional Financiera. Muchos años después estudió la prepa abierta y posteriormente estudió administración de empresas en el Tec de Morelia.

Recuerdo con gratitud y reconocimiento que María del Carmen fue quien se hizo responsable de mi casa, yo creo que cuando se dio cuenta de los apuros económicos que teníamos, se decidió a estudiar una carrera comercial. Trabajó desde muy chica, todavía sus jefes —me encontré a uno de ellos hace unos años— la recuerdan llegando al trabajo con

La casa de los Calderón Hinojosa en Morelia.

calcetas. De la escuela se iba a trabajar. María del Carmen es quien se encargó, por ejemplo, de todos mis gastos de la escuela, aunque yo tenía una beca con los maristas, pero ella pagaba los libros y las estampas y las cuotas especiales y todas mis colegiaturas no incluidas en la beca, todos mis gastos. Yo realmente le debo a ella todo eso, y no sólo me apoyó económicamente, ella también me ayudaba a hacer las tareas.

Después del nacimiento de mis hermanas, mi mamá perdió tres bebés. Por su edad, no era ya fácil tener hijos y la recomendación del médico fue que no tuviese más. Sin embargo, por azares del destino, por las ideas de la época, por la carencia de métodos eficaces y aceptables para prevenirlos, vino el embarazo de mi hermano Juan Luis. Dicen que mamá tuvo que pasar varias semanas o meses en cama ante la amenaza de otro aborto. Finalmente nació Juan Luis, quien fue mi gran compañero de infancia. Tanto él como yo nacimos en el Sanatorio Guadalupano, una casona porfiriana que estaba ubicada sobre la calzada de Fray Juan de San Miguel, esa monumental vía de piedra que conduce desde el Jardín de Villalongín hasta el Santuario de Guadalupe. Mi nacimiento tuvo sus complicaciones. Desde que se rompió la fuente materna hasta el alumbramiento transcurrieron tres días. Debe haber sido un parto complicado para los casi cuarenta años de mi madre y para los cuatro kilos seiscientos gramos que pesé al nacer.

Juan Luis me lleva sólo un año de edad y por lo mismo tuvimos perfiles y educaciones paralelas, pero siempre complementarias. Por ejemplo, él era muy hábil con las manos, contrario a lo que a mí me ocurre. Tenía una habilidad singular para todo lo manual: se las ingeniaba para construir la carreta con la que jugábamos, y nos íbamos al Bosque Cuauhtémoc, cercano a nuestra casa. La primera carreta que Juan Luis construyó estaba hecha con unas tablas con las que empacaron unos motores; yo me acuerdo que vimos las tablas y mi hermano armó la carreta, consiguió unos baleros usados, los aceitó y los puso a funcionar otra vez. Era una carreta maravillosa. Nos divertíamos mucho. Él construyó una casita en un árbol de la casa, un árbol que por cierto plantó mi papá. Nosotros le decíamos la casa del árbol pero en realidad era una tarima. Hay una foto en la que estamos retratados los cinco hermanos delante de ese árbol, que ahora es un pino de unos treinta metros de alto.

Desde muy chicos Juan Luis y yo jugamos siempre juntos, éramos muy buenos ciclistas, aunque tanto él como yo sufrimos fracturas de brazo por caernos de la bicicleta. Mi hermano además era muy hábil para reparar las bicicletas.

Otra cosa que nos encantaba era salir de campamento. Me acuerdo que siendo los dos muy chicos, de doce y trece años, nos íbamos de campamento y cuidábamos a niños más chicos. Nos llevábamos al perro de la casa, música, yo llevaba mi armónica y nos íbamos hacia la sierra, lo que implicaba caminar cuatro o cinco horas.

Ambos estudiamos en la misma primaria y luego él se fue a la secundaria federal, estudió en la preparatoria de San

Nicolás y yo continué en el Instituto Valladolid. Juan Luis estudió ingeniería civil. Se ha vuelto un experto en materia de agua potable, ha sido director de un organismo regulador de agua en Morelia.

El Instituto Valladolid.

Doña María del Carmen Hinojosa viuda de Calderón con sus nietos.

Con mujeres y jóvenes en el Estado de México

Tlalnepantla

Se acerca la primavera pero hoy, 14 de febrero, es una mañana fría de invierno en una de las zonas más industrializadas del valle de México: el municipio de Tlalnepantla. Aquí estamos, en el auditorio principal del Centro de Convenciones, donde un mariachi nos da la bienvenida al son de "Caminos de Michoacán". Este municipio es gobernado por mi partido, y hay muchos indicios de ello.

Tlalnepantla. Perfil sociodemográfico

La zona conurbada del Estado de México aporta alrededor del 10.5% del PIB nacional. Tlalnepantla representa el 20.37% del PIB del Estado de México, además de generar el mayor número de empleos, 8.54% del total estatal.

Población económicamente activa: 237,649 personas, 33.8% de la población total: 0.3% trabaja en agricultura, 39.9% en la industria y 59.8% en el comercio y los servicios.

Hoy el país amaneció con una noticia que cimbró las conciencias: las grabaciones que el diario *La Jornada* dio a conocer de una conversación entre el gobernador de Puebla, el priista Mario Marín, y el llamado "rey de la mezcilla", el empresario poblano Kamel Nacif, donde además de un uso vulgar del lenguaje ambos hicieron evidente su contubernio con el objeto de "castigar" a la periodista Lydia Cacho por haberse atrevido a hablar de los presuntos nexos entre Nacif y el pederasta Succar en su libro *Los jardines del Edén*, en el cual se denuncia una red dedicada a la explotación de menores.

Siendo el tema del día, era ineludible la pregunta de los medios, ante la que condené esa barbarie. Una vez en el templete, retomo el tema de las mujeres trabajadoras y el peso que muchas cargan sobre los hombros al tener que ser las jefas del hogar; ellas no sólo están sacando adelante a sus hijos sino están sacando también adelante a México. Me refiero a mi relación con Margarita Zavala, mi esposa desde hace 12 años:

> Esta mañana, cuando felicité a Margarita por el día del amor y la amistad, reflexionamos muy contentos porque Dios nos haya permitido estar juntos. Y ¿saben qué?, en mi casa los dos trabajamos; bueno, yo ahorita no tengo chamba porque soy candidato, ella me mantiene, digámoslo así, pero compartimos las tareas de la casa.
>
> Soy alguien que piensa que educar a los niños, que formarlos con valores, que fortalecer a la familia, que darles de comer, incluso que cambiarles la ropa, no

son tareas que sólo tenga que hacer la mujer, no son tareas sólo de las mamás; yo estoy a favor de que compartamos cada vez más las tareas de la casa.

Aunque me critiquen muchos hombres, yo la verdad hago esto, desde tender la cama hasta prepararme de comer, cuando no tenemos alguien que nos eche la mano. ¿Saben por qué? Porque aprendí al lado de Margarita que no es cierto aquello de que siempre detrás de un gran hombre hay una gran mujer; eso no es lo que debe ser, yo entiendo que todas las mujeres no van detrás de los hombres, ni de los grandes ni de los chicos: las mujeres van al lado y cada vez

más, las mujeres van adelante, y tienen todo mi respeto y mi consideración.

El acto es breve, pues la agenda de hoy es muy apretada.

En el Tec

El autobús "El hijo desobediente" nos lleva al municipio de Atizapán de Zaragoza, al Instituto Tecnológico de Estudios Superiores, Campus Estado de México. En el gimnasio del campus tendrá lugar un encuentro con la comunidad universitaria, la mayoría tan jóvenes que seguramente este es su primer contacto con la política y la de 2006 será seguramente la primera elección presidencial en que podrán votar.

No hay quien dude de que la contienda entre los aspirantes a la Presidencia será reñida y deberá convencer a los electores, que han ido madurando junto con la incipiente democracia mexicana. Esta reunión forma parte de una iniciativa del Tec que busca fomentar entre su comunidad el voto razonado y el ejercicio consciente de las responsabilidades ciudadanas. La denominan "Ejercicio ciudadano 2006", y la idea es que todos los candidatos tengamos presencia para exponer y debatir nuestros puntos de vista. De ahí el protocolo que siguen los organizadores antes de comenzar y cuando presentan a quienes charlarán conmigo: un alumno distinguido y un profesor. El tono es amable, formal, y todo el desarrollo de la reunión difiere mucho de otros encuentros en los que he participado.

El acto es transmitido simultáneamente a los más de treinta campus del Tec de Monterrey en todo el país, lo que me hace referirme al avance tecnológico:

> Déjenme empezar por este símbolo, la verdad es que el símbolo de los tiempos es que se puede estar participando en el mismo momento en un evento como este y gracias a la tecnología las distancias ya quedaron atrás, son totalmente irrelevantes. [...] Esta tecnología le está cambiando también el modo de andar al mundo. El Internet, las transmisiones satelitales, la información, la mera utilización de la computadora, la posibilidad de clasificar y ordenar datos y de comunicarse a través de la red están marcando de manera distinta al mundo.

El Instituto Tecnológico de Monterrey tradicionalmente ha sido una de las casas de estudios más connotadas del país, de donde egresa el mayor número de profesionistas dedicados a las nuevas tecnologías, por lo que abordo un tema de discusión en los foros económicos mundiales:

> Yo sé que el trabajo que ustedes necesitan al salir de la universidad, del Tecnológico, o el que quisieran desarrollar algunas horas de la semana o por la tarde pa-

ra poder complementar el pago de sus estudios, ese trabajo se lo van a pelear no como era antes, contra los jóvenes de Naucalpan, de Toluca, del Distrito Federal, sino contra jóvenes de todas partes del mundo, porque la tecnología que me permite comunicarme desde aquí con otros estudiantes en Monterrey, en Morelia o en cualquier parte del país, también permite que haya un nuevo sistema de producción y de comercio, y la empresa que les puede dar trabajo en este momento está decidiendo si se va a establecer en el Estado de México, en Taiwán, en la India o en cualquier otro país. Ustedes le van a competir y le están compitiendo por el trabajo a otros jóvenes de su edad y de otros tecnológicos no sólo en el país, sino de todo el mundo, y ese es un rasgo distinto, amigos, de lo que ha pasado en los últimos años.

Por eso digo que la elección que vamos a tener el 2 de julio es una elección de rumbo. [...] Yo por eso digo que estoy compitiendo en esta elección [y que] no es una elección de partidos políticos y de candidatos; es una elección, jóvenes, en que a mi juicio lo que se decide es pasado y futuro y cómo queremos el futuro.

Un futuro que comencé a vislumbrar cuando tenía la misma edad de los jóvenes asistentes a este encuentro me involucró en actividades de compromiso social en un grupo que se denominaba de Promoción Humana. Ahí la clave era llevar las convicciones y los valores solidarios de amor y caridad al compromiso y a los hechos. Todos los sábados salíamos a realizar la tarea. Sembrábamos huertos familiares, construíamos fosas sépticas, ayudábamos en la cosecha de frijol, alfabetizábamos, "enjarrábamos" con cal las casas y las capillas, empedrábamos las calles, trabajábamos muy duro.

Promoción Humana fue originalmente un proyecto de los hermanos maristas más comprometidos en distintas ciudades de México. Querían llevar a sus alumnos y ellos mismos llegar a compromisos más sólidos de testimonio cristiano. Probablemente estaban cansados de la inercia de la educación de jóvenes alejados de la realidad social y de la responsabilidad con los demás, con "los prójimos". Sin embargo, en una ocasión, como a las siete de la noche, de regreso a la ciudad de Morelia de una de estas labores de asistencia social, en la que nos habíamos pasado todo el día picando piedra para hacer una fosa séptica que no se pudo concluir, veníamos un grupo subidos en la caja de una pick up. Había fuertes reclamos al compañero que había escogido el lugar para hacer la fosa, porque el terreno no era apto y habíamos perdido el tiempo. La discusión rápidamente subió de tono, y la réplica de este amigo fue contundente: "¿Ustedes creen que así hubiéramos arreglado el problema de salud de La Concha? —la ranchería en la que estábamos trabajando—, ¿cuántas ampollas más en las manos quieren pa-

ra entender que así no se arreglan los problemas del país?"
Y tenía toda la razón, desafortunadamente. Nos sentíamos
bien liberándonos de la carga social, pero el país no se be-
neficiaba por ello.

La clave estaba en lo que muchos años antes me había
dicho mi papá. Que la política hecha con principios era la
verdadera manera de hacer el bien al prójimo, al menos la
más eficaz, la más necesaria. Sólo cuando se aplican los recursos públicos a las necesidades más urgentes de la gente
se pueden elevar las condiciones de vida de todo un pueblo.
Así que el lunes siguiente fui a las oficinas del PAN, a las cuales por cierto mi padre nunca nos forzó a ir, e incluso difícil-
mente nos invitaba o pedía que lo acompañáramos. Quería
afiliarme al PAN. Tenía 16 años, pero como el PAN sólo ad-
mitía miembros a partir de los 18 años, tuve que esperar hasta cumplirlos. A los 23 años fui candidato suplente y a los 26
gané mi primer distrito electoral en la Asamblea de Representantes. A los 30 fui secretario general y a los 33 fui presidente de mi partido.

Ahora, décadas después de esas inquietudes juveniles
y con un cúmulo de experiencias políticas y partidistas, les
platico a los estudiantes del Tecnológico y enuncio aspectos concretos que pueden ponerse en marcha para mejorar
la situación del país:

Yo no sé si el dinero del gobierno es mucho o poco.
Lo que sí sé es que lo que tengamos tiene que des-

tinarse primero a las cosas que son más importantes para la gente. Deben destinarse a construir puertas para que la gente pueda salir de la pobreza. Y para mí las prioridades son muy claras. No se trata de que el gobierno se ponga a hacer empresas. Yo no sé si otro candidato quiere hacer un tren bala de México a Tijuana. Yo lo que voy a hacer con el dinero de la gente es invertirlo primero que nada en cuatro cosas: uno, en educación de calidad, para que las niñas y niños más pobres puedan salir adelante en la vida y triunfar; dos, en cobertura de salud, y por ello voy a empezar con los niños, un seguro médico que los cubrirá desde que nacen por cualquier tratamiento que necesiten; tres, en servicios básicos, tan básicos como el agua potable o el drenaje, del cual carece una de cada cuatro familias en México; y cuatro, en seguridad pública, para que nuestros hijos puedan nuevamente salir tranquilos a la calle.

Pero la puerta más grande que quiero abrir para que la gente pueda salir de la pobreza es la puerta del empleo. Para ello necesitamos que nuestra economía sea verdaderamente competitiva, porque en eso el mundo nos está compitiendo y nos está ganando, para decirlo con toda claridad. ¿Por qué las empresas mexicanas están perdiendo? ¿Por qué la industria textil ha perdido tantos empleos? ¿Por qué hay tantas empresas que cierran o muchas que pueden establecerse y no lo hacen? Porque México no reúne las condiciones de competitividad para ganar en un mundo que compite.

¿Cuál es la solución? ¿Qué propiciaría la inversión? Que sea rentable invertir en México, y para que haya utilidad y renta de una empresa se requiere algo muy sencillo: que los ingresos, las ventas, estén por encima de los costos. En una "aldea global", como dijo McLuhan, los precios están determinados internacionalmente, desde la cachucha que trae acá el compañero, hasta las sillas que están aquí, y así el precio del acero, del maíz, de la mezclilla, de los microchips, de las computadoras.

No es el que les propongo un México del ahí se va, del ya merito, del chin, qué malos son todos los demás. Yo les propongo que nos decidamos a construir, frente a muchos prejuicios y frente a muchos tabúes, el México ganador que queremos. Yo, amigos del Tec, quiero un México campeón del Mundo y por supuesto que lo vamos a tener.

Ver a tantos jóvenes me hace pensar que probablemente sus gustos sean muy distintos de los míos; como muchos en mi generación, en la prepa la música que me gustaba era la de Joan Manuel Serrat. Quizá el primer disco que escuchaba una y otra vez era el de *Cantares*, con todos los poemas musicalizados de Machado y Miguel Hernández. Llegué a tocar algunas de sus canciones en guitarra y en armónica, que durante aquellos años fueron una afición mía. "Mediterráneo", "La Fiesta", "Tú nombre me sabe a hierba", "Aquellas Pequeñas Cosas" y por supuesto "Penélope", mi favorita. Un poco más tarde, al final del bachillerato y entrando a la carrera me aficioné a la nueva trova cubana: "Yo no te pido que me bajes una estrella azul, sólo te pido que mi espacio llenes con tu luz." Primero conocí la música de Silvio Rodríguez y luego la de Pablo Milanés, y con el tiempo me convertí en un gran fanático de toda la nueva trova. Una de mis canciones favoritas es la que musicalizó Alberto Favero y cantó Nacha Guevara: "Te quiero", el poema de Mario Benedetti: "Si te quiero es porque sos mi amor, mi cómplice y todo, y en la calle, codo a codo, somos mucho más que dos". De hecho, en nuestra boda Margarita y yo bailamos, en lugar de vals, esta canción, junto con "Coincidir" de Mexicanto. La vida me ha permitido "coincidir" con David Filio, cantautor y vocalista de Mexicanto y gran mexicano, un gran artista y un gran padre de familia, persona extraordinaria de quien me precio de ser amigo.

Años de despertar, de inquietudes, de vacilaciones, de emociones, en que tuve la oportunidad de conocer a mi padre de un modo diferente, pues impartía clases en el Instituto Valladolid y fue mi profesor. Mi padre fue mi maestro de sociología. Escribió un texto, *Iniciación a la sociología*, donde se conecta tanto con las corrientes más actuales de su tiempo como con las tradicionales del pensamiento sociológico, desde Recasens Fiches hasta Emilio Durkheim y hace énfasis en las desigualdades sociales. Me fascinaba su clase: era muy profunda, muy comprometida con México.

En la convención en que se eligió candidato a gobernador de Michoacán a Adrián Peña Soto, quien compitiera contra Cuauhtémoc Cárdenas, escuché a mi padre pronunciar uno de los muchos discursos que me impactaron indeleblemente. Citaba al Club de Roma y coincidía en que "Dos brechas dividen a la humanidad y ponen en riesgo su viabilidad en el futuro: la brecha entre el hombre y la naturaleza, y la brecha entre el norte y el sur, entre el rico y el pobre.

Entre las cosas que más recuerdo de mi padre era su extraordinario sentido del humor. Sus anécdotas relatadas con su voz grave, voz de "campana mayor" como la describió su amigo Armando Ávila Sotomayor, eran fascinantes. En mis primeros años en la Ciudad de México solía comer con él. Generalmente tomábamos el menú del día en "comidas corridas" tanto en el centro como en la calzada de Tacuba, por el metro San Cosme, donde estaban las oficinas del PAN, en la colonia San Rafael. Un día el guisado era una carne que tenía verdaderamente mal aspecto. Se me ocurrió decirle: "Oye papá, parece carne de perro"; él la examinó por todos lados con solemnidad y alzando los hombros me dijo: "Afortunadamente ya está muerto", y acto seguido empezó a comer. En otra ocasión, cuando ya estaba jubilado y de regreso en Morelia, justo al iniciar el pase de lista en la clase de sociología, dijo con absoluta seriedad: "Por favor, háblenme fuerte porque se me acabó la pila del audífono", o también recuerdo que dijo: "Ya se me acabó el pegamento de la dentadura, así que voy a tener que hablar muy bajo", "Lamento que no los veo claro, porque como podrán ver se rompió uno de mis anteojos".

Durante el bachillerato fui profundizando la relación personal con mi padre. A pesar de que era un hombre mucho mayor que yo (casi podía ser mi abuelo, pues yo nací cuando él tenía 51 años), habíamos superado una ausencia importante, puesto que cuando yo tenía 7 años de edad él se fue a trabajar tiempo completo al PAN en la Ciudad de México. Y aunque lo veía a veces cada fin de semana y a veces cada 15 días, a su regreso, él ya jubilado y yo de 15 años, tuvimos que

reestablecer una manera de comunicarnos. Y lo logramos a cabalidad. Después de comer salíamos a caminar alrededor del Bosque Cuauhtémoc, dábamos una vuelta a los dos kilómetros del perímetro y platicábamos de todo; el primer alegato en pro de la naturaleza que escuché fue de él, mi papá fue un ambientalista. Platicábamos de todo, de Dios, de la historia de la iglesia; de la justicia, de la desigualdad en México, de la política, de liberales y conservadores... Fue la primera vez que discutí sobre los liberales, sobre el siglo XVIII en México o la expulsión de los jesuitas o sobre cuáles son las razones de Santo Tomás que fundamentan la existencia de Dios, o cuál verdaderamente es el sentido de la justicia que hay en México o cuál es la razón verdadera de la política, o cuáles son las alternativas entre uno y otro candidato, o cuál es el fondo del pleito que él traía en el PAN.

Con la reforma electoral que permitió los diputados de partido, mi padre por fin fue diputado federal en 1979. Yo lo acompañaba a las sesiones, incluso comía con él en las curules. A mi padre todavía le tocó sesionar en Donceles y el primer año en la Cámara de Diputados en San Lázaro. Un día salimos del Metro Balderas —usábamos constantemente el metro y estaba muy contento de que la estación Candelaria estuviese justo enfrente de la Cámara de Diputados— y echamos a andar por la calle. De repente me dice: "Mira, por cierto, ahí está la Escuela Libre de Derecho. Sé que no te gusta, pero date una vuelta." Cuando fui, me dijeron que ya habían cerrado las inscripciones. Un exalumno de la Libre, Rafael

Estrada Sámano, habló con el secretario de la escuela, quien me dio una cita. Recuerdo que aquella bellísima tarde de agosto mi papá y yo caminamos de la Fuente de Petróleos, donde estaba la oficina de Rafael, hasta el Sanborns de Chapultepec por Paseo de la Reforma. Cuando supo que yo estaba en vías de ser admitido, me explicó los riesgos, las maravillas y las tentaciones de la gran ciudad. Era como una despedida verdaderamente paternal que he agradecido siempre.

Yo tengo el extraño honor de haber sido rechazado por dos universidades públicas y por ello tuve que estudiar en la Escuela Libre de Derecho, que al principio no me agradaba porque asumía que era "un invernadero de burgueses". Cuando terminé la preparatoria, tuve que enfrentar el hecho de que la Universidad Nicolaíta de Michoacán no reconocía mis estudios en el Instituto Valladolid, porque en ese entonces en mi estado natal solamente las escuelas públicas tenían reconocimiento oficial por parte de la Universidad Nicolaíta. Entonces me fui a la UNAM, porque el Instituto Valladolid era un bachillerato incorporado a la Universidad Nacional y yo tenía un buen promedio. Yo quería ir a la UNAM porque me imaginaba que el campus universitario era una especie de ágora universal con debates, polémicas e intercambio de ideas, y además hasta le iba a los Pumas de la época de oro de Hugo Sánchez, Cabinho, Muñante, Cuéllar, el "Gonini" Vázquez Ayala, Spencer, Ferretti, Mejía Barón. "No, usted no puede entrar", me dijeron. "¿Por qué?" "Porque derecho, psicología, economía y medicina están saturados, lo cual significa que si en su lugar de origen hay facultad de derecho, tiene que estudiar allá, en esas carreras sólo entran los de las preparatorias del D.F." "Pero allá no me admiten", respondí preocupado. "Bueno, pues ese es su problema, joven. El siguiente…".

A final de cuentas entré a la Escuela Libre de Derecho y la verdad es que fui muy feliz ahí y tuve excelentes maestros.

Pero volvamos al encuentro con los estudiantes del Tec. Yo sé de la importancia de contar con una buena educación y conmino a los estudiantes a que se "pongan las pilas":

El mundo está interconectado, y yo quiero en este mundo que se viene duro, que se viene difícil, que este sea un México preparado. No es la solución cerrar el país; no es cierto que podamos ignorar al mundo a tal grado que consideremos como un privilegio no haber salido nunca de aquí. No es cierto que las economías cerradas vayan a volver; no es cierto que se revierta el proceso de globalización, llegó para quedarse.

Yo quiero, amigos, un México para el futuro; para el México de ustedes me imagino y los invito a imaginarse a un México que no se agache y se achicopale frente a un mundo que le compite; al contrario, un México que saque la fuerza, que pueda aprovechar lo que tiene, un México que se decida a sacar sus talentos y recursos, que los ponga a multiplicar, que se decida a entregar a las generaciones que vienen una riqueza multiplicada y mejor distribuida.

Los estudiantes del Tec, pertenecientes en su mayoría a familias de alto ingreso económico, parecen acostumbrados a escuchar y debatir con personalidades de toda índole. Su conducta no es la de alumnos de otros centros educativos. Su estilo es más sereno, mucho menos participativo, y salvo contados casos, no expresan ninguna provocación, ni siquiera cuando toman la palabra, aunque por supuesto algunos preguntan temas espinosos. La excepción se da al final de la sesión, cuando un par de muchachos se levanta con pancartas manuscritas. En una se lee simplemente: "Predicador moral" y en otra una pregunta sobre el EZLN.

Abordo el tema e incluso, a pregunta expresa de alguno de los alumnos, señalo mi apoyo al uso del condón y de los anticonceptivos, pero sobre todo mi apuesta a una educación e información sexual plena entre jóvenes y adolescentes y sobre todo una educación verdaderamente integral, formadora en el respeto a los demás, a uno mismo. Esto ocurre cuando los turnos de preguntas y respuestas ya casi han terminado, por lo que recapitulo:

Yo he hablado de cinco retos. El primero es Estado de Derecho y Seguridad Pública. El segundo es Economía Competitiva y Generadora de Empleo. El tercero es Igualdad de Oportunidades, en educación de calidad, en cobertura de salud, en vivienda. El mismo derecho debe tener un niño que nace en la zona mazateca de Oaxaca de tener la educación de calidad que ustedes tienen. El cuarto se refiere al Desarrollo Sustentable. Yo no creo que el tema ambiental sea un tema de cajón de sastre y que se pegue nada más ahí como un ornato, como los monitos en un pastel de bodas, sino que es medular para el futuro. El quinto es una Democracia Efectiva.

"Queremos trabajar"
Del Nayar a Sinaloa

Situada estratégicamente en medio del triángulo turístico que forman la ciudad de Guadalajara y los puertos de Vallarta y de Mazatlán, y próxima en minutos a Guayabitos, una de las playas más hermosas de México, Tepic es capital de un estado rico en recursos humanos y naturales: Nayarit.

Una de las razones que contribuyen a que se respire un aire optimista en Tepic ("Lugar de piedras macizas", según la toponimia náhuatl) es la derrama económica que ha significado la construcción en sus inmediaciones de la presa El Cajón, con inversión de más de ocho mil millones de pesos. Me tocó como director de Banobras participar y supervisar el equipo de trabajo que hizo el diseño financiero de la presa. Lo formidable es que la obra pudo financiarse con recursos privados y sin necesitar de recursos presupuestales. El valor de la energía que genere será su propia fuente de pago en el largo plazo. Ello no sería posible sin un entorno de estabilidad macroeconómica que un gobierno responsable puede tener.

Nayarit. Perfil sociodemográfico

Población: 975,210 habitantes.

Hablantes de alguna lengua indígena: 4.16%

Población económicamente activa: 28.8%; en el sector primario, 38.2%, en el secundario 17.6% y en el terciario 40%. Un 4.2% no está especificado.

El desarrollo y la inversión en infraestructura son temas en muchos de los discursos de esta campaña y en mi plataforma política; sé que son importantes, para mí la política no es un hecho fortuito.

Al llegar a Tepic, me dirijo a uno de los salones del Hotel Real de Don Juan a dar una conferencia de prensa; luego, en otro salón del mismo hotel, voy a la firma del Convenio para la Alianza con la Sociedad Nayarita: pescadores, cañeros, campesinos, huicholes, transportistas, padres de familia. Con esa firma del convenio las partes nos comprometemos a lograr los acuerdos necesarios para impulsar acciones que favorezcan el crecimiento económico, la igualdad de oportunidades y el acceso a los servicios básicos de educación y salud para la gente más desamparada. Esta ceremonia busca confirmar que se cumplirán las promesas de campaña, como las expresadas hoy:

Quiero que ningún niño nayarita se quede sin atención médica, que nadie se muera porque la mamá no tuvo la posibilidad de tener un médico y medicina al alcance. Por eso voy a hacer no sólo el seguro popular sino un seguro médico universal para todos los mexicanos, poco a poco, pero que empiece por los niños. Un seguro tal que cuando la mamá este esperando el bebé sepa que no sólo viene con la torta bajo el brazo, como se dice, sino que además viene con un seguro médico bajo el brazo por cualquier tratamiento y por cualquier medicina que necesite. El seguro implicaría que la mamá tuviera el derecho de ir a cualquier clínica pública del seguro social, del ISSSTE, del municipio, y si no la reciben en esas instituciones o simplemente no hay una clínica donde vive o tiene una emergencia, si por cualquiera de esas razones tiene que llevar a su niño ardiendo en fiebre al médico del pueblo o a un sanatorio particular, yo les digo a las mamás y a los papás que no se preocupen, que el seguro médico va a pagarles los honorarios de ese médico y todos los gastos de ese sanatorio.

A mí me tocó, como secretario de Energía, echar a andar la Ley de Energía para el campo. Voy a seguir con el programa de la electricidad barata y del diesel barato para los productores agrícolas. Voy a seguir con el apoyo a proyectos productivos, pero además quiero que la ganancia del campesino no se la quede el "coyote" o se vaya al mercado final, porque un kilo de tortillas puede valer ocho o diez pesos en un supermercado, pero al campesino se le paga $1.20 o menos por su kilo de maíz. Lo mismo diría del tomate y de muchos productos del campo. Quiero trabajar para que el potencial agrícola de Nayarit se multiplique y la riqueza se quede en los productores, se quede en los campesinos, que se quede atrás esa triste realidad de que el campesino es el mexicano que trabaja más y el que gana menos.

La política, particularmente la que se realiza con una perspectiva de principios, y en particular cuando las circunstancias nulificaban cualquier posibilidad de triunfo, es quizá una de las actividades más ingratas, con muchas satisfacciones por supuesto, pero plena de sinsabores. Así le ocurrió a mi padre, que por el tiempo de su regreso a Morelia tenía lugar al interior del Partido Acción Nacional uno de los conflictos más lamentables y más serios en la historia del Partido. Una crisis que impidió que el partido pudiera postular candidato presidencial en 1976. En ese momento el PAN se divide entre los ideólogos —de los cuales formaba parte mi padre— y los que pertenecían a un grupo que él denunciaba como ajeno y con una disciplina, financiamiento, estructura y organización distintas. El señalamiento del grupo de los "doctrinarios", "solidaristas" o "efrainistas", con quienes mi padre tenía un justificado sentido de pertenencia, señalaban que había una estrategia organizada desde la derecha y desde el poder económico para tomar el control del PAN. Les resultaba evidente que el grupo que armaba la disidencia y el golpeteo a la presidencia nacional, a grado tal de que había hecho renunciar de la misma manera al más brillante de los candidatos presidenciales del PAN, Efraín González Morfín, estaba integrado medularmente por gente vinculada a empresas de Monterrey. La especulación tenía cierta lógica si se considera a partir del rompimiento y la confrontación de Luis Echeverría con el Grupo Monterrey. Independientemente de los méritos ciudadanos que en cierta medida tenían, lo cierto es que muchos de quienes eran consultores o funcionarios del grupo: Pablo Emilio Madero y Jesús González Schmal, funcionarios de Vitro, José Ángel Conchello, que era el publicista de Cervecería Moctezuma, Eugenio Ortiz Gallegos, de Salinas y Rocha, y otros, participan en la embestida contra la dirigencia del PAN de entonces. Además de impugnar la dirigencia de Efraín González Morfín, a quien llegaron a juzgar como "jesuítico marxista" por sus avanzadas tesis sociales contenidas en la plataforma electoral de 1976, a los seguidores e integrantes del Comité Nacional los tildaban de "guardianes del santo sepulcro" y "tradicionalistas". Articulan también su esfuerzo en torno de la candidatura de Pablo Emilio Madero, opuesta a la de Salvador Rosas Magallón. Finalmente el partido se rompe, los "solidaristas" pierden el campo de batalla, el PAN se queda sin candidato. Para mi padre eso significó un sometimiento del PAN a una visión conservadora, obsoleta y caduca que a la postre lo llevaría a renunciar en 1981, a más de cuarenta años de militancia partidista. Discutir todo eso en mi adolescencia fue fascinante y muy aleccionador.

Una carretera vacilante que debiera ser autopista, como dije en un discurso pocas horas antes, nos lleva de Tepic a Puerto Vallarta. El de los caminos es un asunto que ha estado este día en la mesa de discusión, pues Agustín, un líder indígena de la localidad de Nayar, elogió los logros del gobierno foxista en materia de infraestructura carretera:

En la tierra del Nayar, allá arriba, donde nosotros hacemos ocho horas para llegar aquí en caminos de terracería en carro y a pie hacemos dos días, de hace seis años para acá hay obras sin precedentes; el presi-

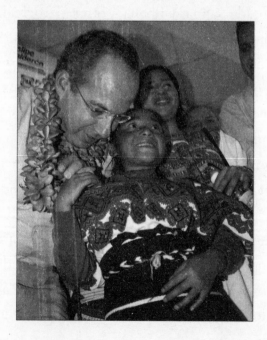

dente nos ha llevado la carretera, ahorita están haciendo nuevos trazos para llevarnos la pavimentación.

Conforme el vehículo avanza, la imaginación se extravía en las barrancas, los ríos que rebotan cerro abajo en las rocas y los altos picos. Cada rincón de México me confirma lo que durante las ya dos décadas en las que he recorrido el país he concluido: que es un país extraordinario; su historia es un rico acervo y su futuro debe ser distinto y mejor. Un México cuyos dirigentes sociales y políticos sean capaces de entender los signos de los tiempos, los cambios del mundo, los desafíos que enfrentan ahora los jóvenes, hoy por hoy abrumadora mayoría en el país.

Más del treinta por ciento de los electores son menores de treinta años, y la mitad de los ciudadanos son menores de 37 años. Más que la opción del futuro, los jóvenes son la clave de una realidad política insoslayable. Horas atrás, el líder del Nayar me solicitó:

Nosotros lo que le pedimos al amigo Felipe es que cuando llegue a la Presidencia nos ponga una universidad allá en la tierra, allá hay jóvenes que quieren estudiar pero que no pueden venir y pagar renta, traslados, comidas, que nos ponga una universidad arriba, que nos ponga empresas, queremos trabajar.

"Queremos trabajar." La expresión queda en el aire y regresa como el eco cuando horas más tarde la comitiva se aproxima a Bahía de Banderas, cerca de Punta Mita, donde han tenido lugar los desarrollos de Nuevo Vallarta en Nayarit y Puerto Vallarta, en Jalisco. "Queremos trabajar", vuelve a sonar ahora en esta zona que vive del turismo. "Queremos trabajar", una frase tan simple encierra uno de los grandes retos que enfrentará el próximo gobierno federal. Por ello, hablé sobre la importancia del turismo como generador de empleos:

> He hablado de economía competitiva y generadora de empleos y he dicho que el eje articulador, la prioridad generadora de empleos de manera más rápi-

da y eficaz para México es el turismo. He hablado de igualdad de oportunidades porque precisamente el Estado debe concentrar su fuerza en igualarlas en educación de calidad, en cobertura de salud, en servicios básicos, en seguridad pública y eso, evidentemente, puede darse cuando se da la mayor fuente de igualdad, que es el trabajo.

Pronto llegamos a El Pitillal, localizado justo entre la Marina de Vallarta y la zona hotelera, un área suburbana que no ha sido alcanzada por el turismo. En este encantador y bullicioso pueblo se vive y se siente un ambiente diferente. Aquí el mitin reúne a cerca de mil simpatizantes. Son días definitivos en la campaña.

El viaje continúa al día siguiente muy temprano, entre la comitiva de prensa que paga la parte proporcional de sus gastos y mi equipo de campaña rentamos un vuelo hacia Mazatlán, Sinaloa. Mirando la sierra sinaloense desde el aire, se ven los campos sembrados de jitomates y de amapolas. El vivo color de las amapolas es inconfundible. Es evidente que en este estado el problema grave es la narcoviolencia, pues las ejecuciones y ajustes de cuentas son pan cotidiano, y el tema resultará muy importante en esta etapa de la gira.

De Mazatlán vamos por carretera a Escuinapa, ciudad portuaria en el extremo sur del estado, región rica en la producción de mango y camarón. Esta población es famosa por sus exquisitos tamales "barbones" (hechos precisamente con camarón) y por la cercanía de Teacapán, un enclave paradisíaco del Pacífico mexicano que cuenta con uno de los sistemas lagunarios más importantes del noroeste, visitado por aves migratorias que despiertan el interés de observadores nacionales e internacionales. Asimismo, Teacapán es un puerto de pescadores de especies como pargo, robalo, lisa, dorado, marlin y pez vela. La región comprende el estuario más extenso del mundo, entre cuyos manglares se puede observar la Isla de Pájaros, un santuario de aves. Delfines y toninas gustan acompañar a las "pangas", las cuales dan el recorrido por los esteros, siendo los guías y anfitriones del lugar. Restaurantes a la orilla del mar ofrecen mariscos frescos.

La principal fuente de ingresos para los habitantes del área de Escuinapa-Teacapán es la pesca de camarón y otras especies marinas. También hay temporada de cacería de pato y paloma de noviembre a marzo. Los pescadores ofrecen

---

Sinaloa. Perfil Sociodemográfico

Población: 2,924,945 habitantes.

Población económicamente activa: 895.000 personas; 44.5% en comercio y servicios; 38% en actividades primarias y 17.8% en la industria.

La actividad económica se sustenta principalmente en su agricultura. Aproximadamente el 97% de las exportaciones de hortalizas, legumbres y frutas son enviadas a Estados Unidos. Cada año el estado recibe a más de 200,000 trabajadores migratorios de otros estados, que se ocupan en actividades agrícolas.

a los visitantes un paseo especial para pescar robalo, pargo, corvina y otras especies. La Tambora, Las Lupitas, Las Cabras y Los Ángeles, playas prácticamente vírgenes, están consideradas como las más seductoras de Sinaloa. Esta área es una de las reservas ecológicas más importantes del noroeste mexicano por su abundante flora y fauna.

Al llegar a Escuinapa desciendo del autobús, monto una bicicleta y así entro a este municipio sinaloense, al lado de uno de los mejores líderes que están transformando a México a pesar de los cacicazgos y de los negros intereses que se oponen a que florezcan liderazgos ciudadanos como el suyo. Se trata de Heriberto Félix Guerra, el carismático candidato a gobernador que apenas en 2005 fue despojado de su triunfo. Ahora Heriberto está a punto de decidir si es candidato a

senador. Su candidatura, sin exagerar, es clave para el triunfo del dos de julio. Escuinapa da la bienvenida. El ambiente
es festivo. Los simpatizantes se arremolinan para saludarme
al son de la Banda Sinaloense de Escuinapa. También aquí
se lleva a cabo la firma de una alianza ciudadana con sectores de la sociedad civil.

Todos estos recursos naturales y todo el potencial económico del estado de Sinaloa se ven ensombrecidos por un
flagelo que azota a muchas otras entidades del país, pero que
aquí es la gran preocupación de los pobladores, quienes así
lo manifiestan: el narcotráfico. En la conferencia de prensa,
en la sede del PAN, hago un reconocimiento público a los
elementos de las fuerzas armadas, pues hoy se conmemora
su día, y me comprometo a que desde la Presidencia de la

República implementaré acciones para mejorar sus condiciones laborales y por supuesto su sueldo, sus haberes. Hago una promesa que cumpliré con mucho gusto: que los hijos de los soldados podrán estudiar en la universidad que quieran siempre y cuando tengan buen promedio, no importa que sean universidades privadas. También comento que los elementos del ejército continuarán realizando labores de combate al narcotráfico y de auxilio en la procuración de justicia, así como acciones en materia de seguridad.

En Escuinapa fue asesinado un periodista por parte de grupos vinculados al narcotráfico. Melesio Páez, anterior alcalde municipal panista, habló con el procurador del estado para informarle de la presencia de narcotraficantes en la zona y de su probable vinculación al asesinato. Antes de que regresara a Escuinapa ya tenía una amenaza de muerte en su casa. Tuvo que salir de ahí. El crimen por supuesto sigue impune. Melesio me contaba que cuando el narco más famoso de la zona está ahí, hasta los propios policías municipales se disputan el servirle de escolta.

Por la tarde, la gira continúa en el puerto de Mazatlán, que en lengua de los antiguos mexicanos significa "Tierra del venado". Esta localidad costeña ha sido tradicionalmente uno de los destinos turísticos más exitosos del país, y gran parte de ese éxito se lo debe a sus playas de suaves arenas, al buen humor y la tradicional alegría de su gente, la cual se hace manifiesta durante la celebración del popular carnaval de la ciudad.

Aquí me reúno con jóvenes, en particular líderes estudiantiles y universitarios que saturan el salón de fiestas donde nos reunimos y ahí les refrendo:

Yo no sé si el dinero del gobierno es mucho o es poco. Lo que sí sé es que tiene que destinarse en primer lugar a las cosas que igualan las oportunidades entre los mexicanos. Concretamente, en la medida en que permitamos que el dinero del gobierno se jerarquice en cinco cosas: educación de calidad, cobertura de salud, prestación de servicios básicos, seguridad pública e infraestructura, México podrá encaminarse a ser un país desarrollado y más justo de lo que es ahora.

Porque México ha cambiado de ser un México autoritario y antidemocrático a ser un México democrático, un México libre, ha cambiado de ser una economía de quiebra constante y endeudamiento externo creciente a ser una economía estable. Ha cambiado de ser un país que aumentaba año con año la miseria a ser un país que ha logrado sacar de la miseria a la cuarta parte de la gente que vivía en ella al principio de esta administración.

Y lo que necesita México para ser un país ganador, un país desarrollado, un país con crecimiento económico y mejor distribución de la riqueza, es un proyecto de gobierno que verdaderamente ponga a nuestra economía en condiciones de competitividad como yo lo estoy proponiendo, que ponga a los políticos a rendir cuentas como lo estoy haciendo, que esté comprometido con el medio ambiente y que centre el gasto en lo que iguala oportunidades: educación de calidad, cobertura de salud, servicios básicos, seguridad pública e infraestructura.

Luego, en la comida que me ofrecen empresarios mazatlecos, argumento:

La caricatura que se ha hecho de México, la del mexicano tirado junto al nopal y con las manos debajo del gabán y la cabeza agachada, no es el México que yo pienso heredarles a mis hijos. El México que yo les pienso dejar es distinto, va a ser un México que no va a estar echado en el piso, que va a estar puesto de pie y que no va a agachar la cabeza ante nadie, va a mirar de frente al mundo. No va a ser un México derrotado ni por el narco, ni por la corrupción, ni por la mediocridad. Va a ser un México ganador, fuerte y seguro de sí mismo.

Necesitamos entender que del tamaño de la amenaza para nuestros hijos es el tamaño de la respuesta que se necesita de los ciudadanos. Hoy le urge a Sinaloa y a todo México un ejército muy vigoroso, muy decidido, que le ponga freno a esta amenaza del nar-

cotráfico. Sé que la podemos derrotar, no pronto, no
rápido, y nos va a costar dinero, y nos va a costar tiempo, y nos va a costar quizá vidas humanas, pero no
podemos rendirnos, no podemos resignarnos, no podemos darnos el respiro que ellos quieren que nos demos. Yo por mi parte les ofrezco esto, sinaloenses,
conmigo van a contar, conmigo me van a tener aquí
en el frente donde se necesita, conmigo van a contar
con un amigo en la Presidencia que entiende que Sinaloa tiene que sacudirse a la serpiente del narco que
está enroscada en el poder político.

Mujeres y hombres de frontera
Ciudad Juárez

¿Qué pasa en Ciudad Juárez? Al lado de la laboriosidad de su gente, del empuje de sus empresarios, de la gallardía de sus ciudadanos, el antiguo Paso del Norte deja trasminar al visitante el temor a la violencia. Bocinas estridentes y ruidosos camiones urbanos tan viejos, tan contaminantes, tan inseguros para las mujeres que se suben a ellos cuando salen por las noches de sus trabajos o cuando los esperan muy de madrugada para ir a las maquiladoras. Las horas del miedo.

La pregunta sigue en el aire: ¿por qué se asesina a las mujeres en esta ciudad fronteriza, la sexta en importancia del país? Las mujeres representan la mayor fuerza laboral del municipio. La mayoría son madres solteras, y muchas de ellas el único sustento de sus hogares. Aunque en las calles pasen desapercibidas, esta es una ciudad de mujeres, de mujeres fuertes, incansables, emprendedoras.

Municipio de Juárez. Perfil sociodemográfico

La población del municipio es de 1,577,815 habitantes, de los cuales el 49% son hombres y el 51%, mujeres. La tasa de natalidad es del 2.3%, la tasa general de mortalidad es 0.48%.

Las actividades económicas del municipio se distribuyen de la siguiente forma: sector primario, 0.7%; sector secundario, 64%; sector terciario, 32.2%.

Por otra parte, esta ciudad crece a un ritmo desmesurado. Al sur, los fraccionamientos y los centros comerciales no le piden nada a los centros comerciales de la ribera norteña del río Bravo. La economía sigue desarrollándose.

A los juarenses les molesta sensiblemente el tema de las mujeres asesinadas. Consideran que de manera injusta se ha generado una percepción generalizada de peligro. Juárez no es sólo las mujeres victimadas, es mucho más, insisten en decirme una y otra vez. Y los comprendo. Sin embargo, la triste realidad de los feminicidios sigue siendo una herida abierta.

Para el Partido Acción Nacional, y para la historia contemporánea de México, Ciudad Juárez representa un hito en el desarrollo de la democracia. Manuel Clouthier decía que él iba a Juárez a recargar la batería. En 1983, en esta ciudad inició la lucha panista por la apertura democrática. Francisco Barrio, un joven y carismático empresario, ganó de manera sorprendente la alcaldía postulado por el Partido Acción Nacional. Tres años después, Francisco Barrio ganó de facto la gubernatura de Chihuahua. Sin embargo, al veredicto de los electores se le pusieron todos los obstáculos posibles. En las casillas de Juárez y Chihuahua, en general en las casillas con mayor fortaleza del PAN, el proceso de votación se hizo singularmente tortuoso. Largas filas de votantes esperaban a que iniciara la votación, que no inició sino hasta el mediodía, sólo para que miles de ciudadanos descubriesen que su nombre había sido borrado del listado y en consecuencia no podrían votar. Aun así, las casillas que lograba ganar el PAN, a la hora del cómputo quedaban a favor del PRI gracias a la súbita aparición de un acta distinta a aquella cuya copia estaba en poder de los representantes de casilla.

Don Luis H. Álvarez, uno de los hombres más valiosos en la historia política del México democrático, había sido candidato a gobernador de Chihuahua en 1956, el más joven en la historia de Chihuahua y desde luego del PAN. Dos años después sería candidato presidencial del PAN, a los 38 años de edad. Al igual que Barrio, don Luis había ganado en 1983 la alcaldía de Chihuahua, capital del Estado. Sin embargo, los signos ominosos del fraude en curso pusieron a don Luis y a los bragados líderes chihuahuenses en alerta. Ocho días antes de las elecciones, don Luis se declaró en huelga de hambre a fin de que se corrigieran las anomalías evidentes de cara a la elección. La huelga de hambre se prolongó por más de cuarenta días.

Con don Luis H. Álvarez.

En torno a la protesta electoral y además de la huelga de hambre de don Luis en el Parque Lerdo, se levantó en todo el estado el más poderoso movimiento de resistencia civil jamás realizado en el México contemporáneo. El movimiento de "Resistencia Civil Activa y Pacífica" sacudió profundamente la conciencia de México. Fue la primera vez que se conjuntaban intelectuales, líderes políticos y sindicales, analistas y partidos políticos en torno a un movimiento en busca de la democracia. Al mismo tiempo, Rodolfo Elizondo encabezaba la misma lucha en Durango. Independientemente de que la imposición electoral se consumara en 1986, en ese verano inició el proceso de transición democrática que se aceleró con las elecciones presidenciales de 1988 y culminó con la reforma política de 1996, que creó entre otras cosas el IFE ciudadano.

Hacia el norte de la ciudad se encuentra El Chamizal. La historia de este lugar se remonta a 1864, cuando una crecida del río Bravo quitó a nuestro país una extensión de 177 hectáreas, lo cual dejó indefinida la línea fronteriza entre México y Estados Unidos conforme al Tratado de Guadalupe Hidalgo. Finalmente, en 1911 se llegó al común acuerdo de que Estados Unidos devolvería ese terreno sin que ello tuviera efecto, como lo había decidido el arbitraje. Fue hasta 1964 que Adolfo López Mateos finiquitó el conflicto, recibiendo de facto de parte del gobierno estadounidense el territorio que le pertenecía a México. En 1986, en este mismo lugar se reunieron cientos de panistas para protestar contra la injusticia que la arbitrariedad del sistema había cometido contra ellos al robarle la elección estatal a Barrio.

Hoy, veinte años después de aquel "verano caliente", El Chamizal vuelve a escuchar las consignas y los vítores del PAN, ahora con motivo del mitin que ciudadanos juarenses realizan en mi apoyo. Debido a la importancia de esta plaza para la militancia panista, y dada la lastimosa coyuntura que representan los crímenes contra las mujeres que se han cometido en esa ciudad desde hace diez o más años y que atraen la atención de la opinión pública mundial, la reunión adquiere una solemnidad pocas veces vista en un acto masivo. Están en el acto Francisco Barrio, Manuel Espino, Javier Corral y Javier Terrazas, entre otros juarenses líderes de Acción Nacional.

Llego acompañado de mi esposa e hijos. Tomo el micrófono y abordo los temas cruciales de esta ciudad:

Quiero, amigas y amigos, hacer referencia a la crítica situación que viven las mujeres que trabajan aquí. Ciudad Juárez recibe un gran impacto de la migración interna en el país; cincuenta mil mexicanos llegan cada año a esta ciudad a vivir, se crea prácticamente una ciudad nueva cada año en la periferia de Ciudad Juárez y son miles las mujeres que trabajan en las maquiladoras de las industrias de Juárez. Miles, cientos de miles literalmente, la mayor fuerza de trabajo de mujeres en todo el país.

Esas mujeres han sufrido trato vejatorio, discriminación, y muchas han encontrado la muerte en esta ciudad. Pero creo que la realidad de Juárez, la que se vive todos los días, es más amplia que eso; también sé que aquí todo México tiene una deuda con las mujeres que tenemos que saldar, una deuda que tiene que ver con que México no podrá descansar ni podrá ser verdaderamente un país digno mientras no desterremos los asesinatos de mujeres en Ciudad Juárez. [...]

Quiero ser un presidente comprometido con las mujeres. Un presidente que reconozca la necesidad creciente de enfrentar su migración con infraestructura y servicios básicos. Sepan que tendrán un presidente consciente de los problemas de Juárez. Que si esta ciudad le abre los brazos a los mexicanos de todos los destinos del país, todos los gobiernos, federal, estatal y municipal deben coordinarse para resolver estos problemas de ustedes, desde el problema de la inseguridad hasta el problema de la infraestructura de servicios básicos, desde el problema de estos servicios hasta la mejora de las condiciones laborales, particularmente para las mujeres ¿Yo que quiero, amigas y amigos? Yo quiero que aquí haya vida digna, yo quiero que la gente juarense que se esfuerza encuentre trabajo y salga adelante. [...]

Yo quiero decirles a las mujeres que trabajan aquí, especialmente a las más humildes, a las más pobres, a las que son madres solteras o esposas abandonadas, que quiero ser un presidente solidario con las mujeres que trabajan, y yo sé de la preocupación a la una y media de la tarde en que los niños han salido de la esuela y están solos en la casa o en la calle y quiero ser un presidente comprometido con esa situación. Por eso vamos a realizar un sistema nacional de guarderías y de estancias infantiles y juveniles donde estén a salvo los hijos mientras las madres estén trabajando.

Son decenas de miles las mujeres que trabajan en esta ciudad. Ellas reclaman una mejor calidad de vida, seguridad para sus personas y sus hijos. Por eso quiero aliviar la preocupación de las mamás de la una de la tarde, que es la hora en que los niños han salido de la escuela y están solos. Uno de los problemas a los que se enfrenta una madre trabajadora es el de la diferencia entre los horarios laborales y escolares. Entre la hora en que el niño sale de la escuela y la de la salida del trabajo de la madre hay un rato largo en que los niños se quedan solos, expuestos a los peligros de la calle: las bandas, los vagos, la drogadicción, el secuestro. Aun en su casa no están del todo seguros. Muchos casos de abuso infantil, de violaciones, son cometidas por personas cercanas a las madres, parientes, o dependientes que en lugar de cuidar a los niños que les son encomendados, abusan de ellos.

Por ello propongo que se establezca un Sistema Nacional de Guarderías y Estancias Infantiles y Juveniles. Se trata en esencia de que nos pongamos de acuerdo el gobierno federal, los estatales y municipales. Que habilitemos en colonias populares, barrios o unidades habitacionales, espacios adecuados, y que entrenemos a mujeres confiables, honestas, generalmente madres de hijos mayores y que no tienen trabajo, educadoras sin plaza escolar, o enfermeras, para que cuiden a nuestros hijos. Para que les ayuden a hacer su tarea, a jugar, a divertirse sanamente. La labor de los gobiernos será preparar a las responsables de las guarderías y estancias, supervisar estrictamente su correcto funcionamiento, y en algunos casos donde ello sea posible, sostener parte medular del gasto cuando las madres trabajadoras no puedan hacerlo.

Cada vez son más las mujeres que trabajan. No sólo eso, sino que son el único o principal soporte económico de su casa. Actualmente más de cinco millones de mujeres son jefas de familia. Que no sólo hacen de comer sino que consiguen de comer. Madres solteras, mujeres separadas y divorciadas, abandonadas, viudas, esposas de migrantes o cuya pareja de plano "ni picha, ni cacha ni deja batear". Con esta propuesta permitiríamos que más de esas mujeres y muchas otras que quieren trabajar por gusto, por vocación, por derecho, para superarse, por lo que sea, se incorporen al trabajo remunerado. Las madres trabajadoras pondrían una parte que aportarían con gusto y que sería mucho más barato que buscar una persona que en su propia casa cuide a sus hijos, con mayores costos y mayores riesgo para sus hijos. Incluso muchas empresas, particularmente en ciudades como Juárez que tienen una alta rotación de personal, apoyarían este sistema. Al mismo tiempo daríamos empleo digno a cientos de mujeres que, de manera injusta, no se les contrata por razones de edad o discriminación, y que al cuidado de estas guarderías y estancias infantiles tendrían un ingreso digno.

En el mismo sentido, aunque más amplia, va mi propuesta, opcional para los padres de familia, de horarios escolares prolongados. Quiero poner en práctica un programa experimental en el cual las madres trabajadoras que así lo decidan pueden dejar a sus hijos en la escuela a las ocho de la mañana o antes, y que cuando terminen sus asignaturas académicas ellos puedan tomar un almuerzo nutritivo, particularmente en escuelas de barrios populares, quedarse en la escuela bajo la supervisión adecuada, hacer su tarea, practicar deporte que es indispensable para el desarrollo personal, o emprender actividades culturales como una iniciación artística. La mamá recogería a sus hijos alrededor de las cinco de la tarde y los disfrutaría plenamente el tiempo restante de la tarde y noche. Al igual que en el caso de las guarderías, entre gobiernos de distintos niveles y las propias madres beneficiarias podríamos cubrir los sueldos adicionales de los maestros que estén dispuestos a este esfuerzo y hacer avanzar este programa. Estoy seguro de que con ello tendríamos no sólo mujeres más realizadas en el trabajo, sino y sobre todo niños más sanos, mejor educados, mejores mexicanos.

Ello sin quitar el dedo del renglón de lo que sería una solución más amplia para ellas: el que se logre una reforma que permita horarios flexibles, sobre todo para mujeres y jóvenes que no pueden trabajar las ocho horas completas de una jornada laboral. Con esta propuesta los jóvenes y las mujeres podrían dedicar menos horas al día, o bien trabajar de lleno los fines de semana o durante vacaciones y viceversa, dejar de trabajar en exámenes. Beneficiaría también a algunos sectores productivos que son estacionales, por ejemplo, la industria textil o la del calzado, cuya intensidad productiva se da en la fabricación de mercancía de temporada (primavera-verano, otoño-invierno). O más claramente en el turismo, donde justo cuando muchos estudiantes pueden trabajar, en el verano, en fines de semana largos, en vacaciones se requiere mucho más personal.

En la margen chihuahuense del río, señalo al norte. Como michoacano, con más de dos millones de paisanos del otro lado trabajando en condiciones de desigualdad y alto riesgo, sé del malestar de ver que los mexicanos tienen que expatriarse porque en su país no encuentran trabajo ni forma alguna de mantener a sus familias. Esa es una de las causas por las que las mujeres se quedan solas, a cargo de sus hogares y expuestas a peligros innecesarios. La única manera de evitar la emigración y la consecuente ruptura del núcleo familiar es generando condiciones dignas de trabajo.

Horas antes, las madres de algunas de las mujeres que han sido asesinadas en Ciudad Juárez me expusieron sus quejas, se explayaron sin limitaciones. Sus peticiones además son lógicas: no sólo exigir el esclarecimiento y el fin de los feminicidios, sino que se cuente con instrumentos que faciliten la investigación, incluso la mera identificación de las víctimas, como el contar con laboratorios de ADN, de los cuales se carecía, al menos hasta hace poco. El de recibir atención jurídica, psicológica, el de ayudar a las madres, y desde luego el de apoyar a los hijos huérfanos de las víctimas. Me queda claro que ningún gobierno podrá sentirse satisfecho mientras no cierre esa herida. Me comprometí a trabajar intensamente para encontrar solución a este grave problema.

Margarita

No cabe duda que la parte más fuerte de mí es Margarita, mi esposa. Es una mujer fresca, alegre, muy inteligente, una excelente compañera y una mexicana profundamente comprometida con la tierra de nuestros padres y de nuestros hijos: México. A ella la conocí cuando yo impartía cursos en el Instituto de Estudios y Capacitación Política, al mando de Carlos Castillo Peraza. Me tocó esa vez participar en un encuentro de los jóvenes del Distrito Federal y algunos líderes jóvenes de otros estados que se reunieron en el albergue del Ajusco. Mis temas fueron Historia del PAN y Estatutos del Partido. Ella era muy joven aquel 19 de noviembre de 1984. Tendría 17 años, cinco menos que yo. Con el grupo de jóvenes con el que ella participaba, Irma Islas, Gabriela León, Mary Carmen Corral, Ignacio Loyola e Ignacio Gómez Morín, entre otros, entablé una afectuosa amistad y camaradería. Siempre andábamos en campañas, en mítines, en protestas, consiguiendo recursos. Hace poco en la campaña en San Luis Potosí, a finales de abril, Pedro Pablo Zepeda, compañero diputado de la LVIII Legislatura y participante como dirigente juvenil en aquel encuentro, me entregó una fotografía del evento, mientras escuchábamos al ponente del tema de Liderazgo Social: Manuel de Jesús Clouthier, el inolvidable "Maquío".

Fueron años de lucha, de sinsabores, de protesta, de convicciones que nos unieron poco a poco, pero también de descubrimiento y de diversión, pues compartíamos las aficiones de otros jóvenes profesionistas. No fue fácil que me hiciera caso. He de reconocer que transcurrieron casi dos años y muchas historias intermedias antes de que estuviéramos juntos. Coincidíamos por lo demás en todas las actividades posibles de los jóvenes del PAN de aquel entonces. Precisamente cuando la protesta de don Luis Álvarez en Chihuahua, Blanca Magrassi, el ángel que tiene por esposa, pidió una audiencia con

El expositor (de espaldas) es Manuel Clouthier. De pie, con lentes oscuros, Felipe; a su izquierda, sentada, Margarita, el día que se conocieron.

el presidente Miguel de la Madrid. Nunca se la concedió. En protesta decidimos hacer un plantón justo a la entrada de la oficina del presidente en Los Pinos. Subidos a bordo de los vehículos de tres diputados entramos a la explanada principal, frente a la puerta uno. Bajamos de súbito y colocamos mantas de protesta a la entrada de la puerta. Éramos unos diez o doce compañeros, uno de ellos Margarita. Nos seguimos viendo frecuentemente.

Entablé una sólida amistad con su familia, donde el pilar es una gran mujer: Mercedes, mi honorable suegra. Mercedes conoció a mi papá y me dice que lo admiraba mucho. Ella nació en San Luis Potosí, aunque creció y se crió en Chihuahua, en el pueblo de Escalón, que era la última estación de tren entre Chihuahua y Durango, de la cual su padre era

Margarita en los encuentros juveniles panistas.

el encargado. Posteriormente emigró a estudiar preparatoria y profesional a San Luis Potosí. Eran los tiempos de la plenitud del cacicazgo de Gonzalo N. Santos, y alguna tropelía había hecho. Probablemente imponerse como candidato a gobernador. La "cargada" no se hizo esperar. Todas las "fuerzas vivas" manifestaron su respaldo a los caprichos del cacique. Las federaciones estudiantiles no eran la excepción. Mandaron publicar desplegados en los que se manifestaba que "todos los universitarios de San Luis Potosí apoyan y aplauden al gobernador Gonzalo N. Santos". Sin embargo, en uno de los periódicos alcanzó a salir una nota de pie de página, con la casi imperceptible aclaración: "La señorita Mercedes Gómez del Campo, presente en la redacción de este diario, exigió que se aclarara que ella es universitaria y que no apoya ni aplaude al gobernador Gonzalo N. Santos."

La herejía encolerizó al cacique y provocó su inmediata expulsión no sólo de la universidad sino del estado de San Luis Potosí. Uno de sus maestros, a la postre también desterrado y que fue en dos ocasiones presidente nacional del PAN, Manuel González Hinojosa, alcanzó a decir en su cátedra los días posteriores: "Me avergüenza decir que en esta Universidad, el único hombre es una mujer." Mi suegra llegó a México y estudió también en la Escuela Libre de Derecho, de donde Margarita y yo somos egresados aunque nunca fuimos contemporáneos. Durante mucho tiempo Mercedes Gómez del Campo fue la única mujer en su grupo y probablemente en toda la escuela. Terminó, se recibió y militó en grupos sociales, apostólicos, en las Guías de México, donde fue dirigente, fundadora de AMCIF, un organismo de la sociedad civil enfocado a la protección de las mujeres en situación de violencia intrafamiliar, abandono y miseria. Y desde luego fue militante del PAN, e incluso consejera nacional cuando fue electo presidente del partido Adolfo Christlieb Ibarrola. Por supuesto, entablé también una gran amistad con los seis hermanos de Margarita, que tienen, al igual que mis hermanos, un gran sentido de afecto fraterno. Alguna vez cuando aún no éramos novios invité a Margarita a un concierto de Serrat y no quiso o no pudo ir. Fui con Mercedes, quien es doctora en letras. Y desde luego soy desde hace tiempo muy amigo de Juan Ignacio, todo un personaje.

Un día que fuimos a campaña a Michoacán, justo a apoyar a Cocoa mi hermana, que era candidata a presidente municipal, allá por 1986, repartíamos propaganda en una colonia popular al poniente de la ciudad. Un hermoso sol de octubre enrojecía la tarde entre el cerro del Águila y el Tzirate, medianas cumbres que nos gustaba escalar en la prepa guiados por el padre Eliseo Albor, el director del Valladolid. Le dije a Margarita: "Yo te regalo un sol con pueblo." No conversamos mucho más, pero comenzamos a andar por ahí por diciembre. Seis años después, el 9 de enero de 1993, nos casamos en la Iglesia de Santa María Reina, en la Unidad Independencia de la Ciudad de México.

La nuestra fue una boda muy alegre, rodeados de amigos a quienes queremos. Cuando decidimos fijar la fecha de la boda, lo que para todo mundo resulta relativamente fácil, se volvió un poco más complicado dada nuestra militancia política, la cual, por cierto, ha marcado la vida en común. La fecha fue un problema desde el principio porque no podía ser en noviembre, ya que había asamblea extraordinaria del PAN, ni tampoco en marzo porque en esas fechas sería la elección de Carlos Castillo Peraza. Finalmente decidimos casarnos en enero. Nuestro padrino fue don Luis H. Álvarez.

Margarita es abogada por la Escuela Libre de Derecho, se recibió con honores en 1992, con una tesis sobre la Comisión Nacional de Derechos Humanos. El amor por la carrera de leyes le viene de familia, pues es hija de abogados;

Felipe y Margarita el día de su boda.

134

de ahí que el oficio de la abogacía lo lleve a sus últimas consecuencias, pues no sólo lo ha ejercido en la práctica, sino también en el aula, ya que ha sido docente en la Universidad Iberoamericana y desde hace quince años maestra de derecho en el Instituto Asunción. Trabajó también en el Bufete de Abogados Estrada, González y De Ovando, y en el despacho de Sodi y Asociados. Mujer con un gran compromiso social, es especialista no sólo en derecho corporativo y civil, sino en dos especialidades acordes con su vocación: derecho familiar, puesto que durante mucho tiempo ha sido abogada de mujeres maltratadas, abandonadas, en situación de desventaja en casos de divorcio, y derecho electoral, del cual es experta. Recuerdo haberla visto trabajar casi 24 horas seguidas en el recurso electoral con el cual se resolvió reconocer el triunfo del Partido Acción Nacional por primera vez en la ciudad de Monterrey, en 1994. Fue la directora jurídica del Comité Ejecutivo Nacional del PAN bajo la presidencia de Carlos Castillo Peraza, sin que mediara ahí ninguna otra determinación más que el respeto y la confianza que Carlos le inspiraba a Margarita. Fue legisladora en la III Asamblea de Representantes del Distrito Federal durante el periodo 1994-1997, además de diputada federal y presidenta de la Comisión para la Reforma Laboral en San Lázaro; ha sido secretaria de Participación Política de la Mujer en el PAN. También participó en la Secretaría Nacional Juvenil y fue miembro del Comité de Capacitación de la Secretaría Nacional de Capacitación.

De 1994 a 1997, Margarita trabajó en temas relacionados con personas discapacitadas, lo que le brindó una experiencia tan intensa como esclarecedora, motivo por el cual promovió iniciativas a favor del reconocimiento de sus derechos.

Tenemos aficiones muy normales. Las veladas bohemias, la política, la "vibra" que da poder hablar con la gente y fortalecer su esperanza, nuestros hijos, las corridas de toros, a las cuales me aficioné precisamente por acompañar a la familia a la plaza, donde mi suegro tiene cuatro lugares. Nos gusta el toreo de Enrique Ponce, y de los mexicanos, el del Zotoluco y de todos los paisanos: Paco Dóddoli que fue mi compañero en el Valladolid, y más recientemente Fernando Ochoa, sobrino nieto de mi querido maestro Ramón Sánchez Medal. Me tocó ver a unos cuantos metros la última faena inmortal de David Silvetti. Cuando podemos Margarita y yo nos escapamos. Vemos donde podemos "caer" de vacaciones, y en todo caso, ir a Ayapango, estado de México, donde mi suegra tiene una granja a la que dedica la mayor parte de la semana.

En palabras de Margarita:

A los niños les inculcamos el sentido de la libertad y la responsabilidad. Que sean solidarios con la gente, con su país, con quienes nos ayudan. Juan Pablo está muy chiquito, pero es muy alegre. María es muy tierna, muy linda, muy ordenada, a diferencia de sus padres y Luis Felipe que es todo corazón.

136

Cuando nuestros hijos nos cuestionan por nuestra actividad política, les hemos dicho que todos los papás están haciendo algo por este país. Cuando Felipe renunció a la Secretaría de Energía les explicó que ya no trabajaría con el presidente Fox pero que seguiría trabajando por un México mejor. Entonces María le preguntó si era para que los niños ya no vivieran en las coladeras, y Luis Felipe para no quedarse atrás preguntó si sería para que "ya no hubiera policías malos". Tenían entonces 7 y 5 años. Y "sí, para eso quiere ser presidente, para mejorar las cosas y para que vivamos mejor". Nosotros siempre les decimos el por qué de las cosas que hacemos.

Y las hacemos por algo muy simple: amor por México. Margarita lo explica así:

El amor por México… bueno, para empezar es algo indefinible. Más bien son actitudes. Nuestro aniversario de bodas coincidió con el inicio de la campaña en Querétaro, ese hecho me pareció muy romántico. Hay muchas cosas que aprendes a dejar al trabajar por México: viajes, amistades, oportunidades. Los mexicanos me gustan porque son como yo, como es Felipe, como son nuestros hijos. Sé que Felipe es joven y que una opción podía haber sido sacar adelante a nuestros hijos y trabajar para dejarles un patrimonio, pero Felipe y yo le hemos dado prioridad al futuro de México.

El amor por México tiene que ver con aquello que uno pone por encima de todas las cosas. Si nos dijeran que fuera de México haríamos mucho dinero, pero que si quedándonos íbamos a generar cien empleos, no dudaríamos en quedarnos.

Meterle candela a la campaña
Auditorio Nacional

Casi once mil personas caben sentadas en el Auditorio Nacional. Esta mañana está a su máxima capacidad, ocupado por mujeres aguerridas, vibrantes, desbordantes de entusiasmo. Afuera quedan varios miles más de mujeres que no pudieron entrar. Celebramos este sábado el Día Internacional de la Mujer, por lo que el equipo de campaña y en particular Margarita como coordinadora de la Red de Mujeres por México ha convocado a mujeres procedentes de todos los estados de la República Mexicana. "Mujeres, la pasión de México" es el nombre de este acto.

Hay un ánimo de júbilo, de fiesta, sellado con música y bailes, cuando entro acompañado de Margarita y nuestros tres hijos. Poco antes, en una sorpresa que ignorábamos nosotros y las miles de mujeres ahí reunidas, Tony Aguilar deleita al auditorio con un repertorio de música ranchera. A Tony lo hemos conocido por Arlette, nuestra amiga y vecina en el condominio donde vivimos. Resuenan consignas y lemas de campaña, las mujeres de México se desbordan. Esta bienvenida nos llena de emoción. Previamente, los locutores habían destacado la presencia de don Luis H. Álvarez, a quien la multitud ovaciona.

Margarita avanza hacia el podio. Poco a poco todos guardan silencio. La maestra de ceremonias anuncia a Margarita Zavala, "digna representante de la mujer mexicana; de su fuerza, su pasión, su energía; de la sensibilidad de la mujer mexicana".

Margarita se para ante el atril, ajusta el micrófono y se dirige al público. El ánimo desbordado de la gente la contagia, se ve feliz, satisfecha, orgullosa, y con ese espíritu comienza agradeciendo la presencia de todas las mujeres de la República Mexicana convocadas a través de la Red de Mujeres por México, y manifiesta que a las mujeres: "nos unen nuestros valores, nuestra familia, nuestra pasión, nuestro México". Luego afirma:

Yo iré con ustedes las mujeres por las calles de México a pedirles a todas el voto por Felipe Calderón. Iré con ustedes las mujeres para que dejen en manos de Felipe el México de sus hijos, pues él es un hombre con manos limpias, manos firmes, manos trabajadoras. [...]

He visto a Felipe Calderón impulsar a las mujeres; apoyarme a mí y a mis hijos; es inteligente, tiene un gran corazón y una sensibilidad social; sonríe bonito y quiere para México un México seguro de sí mismo, un México digno y ganador. Este 2 de julio nos estamos jugando el rumbo del país.

La alocución termina; nuestros hijos y yo la abrazamos para felicitarla. Luego es mi turno, e inicio haciendo énfasis en que un evento de esta naturaleza sólo podría ser organizado por mujeres como Margarita:

> Gracias a mi equipo de campaña que ha logrado este extraordinario evento, y ya decía yo, un evento como este, que es todo México, tenía que ser organizado a fuerza por mujeres, no es por nada.
>
> Gracias a quien es la cabeza en esta red, a quien es mi fortaleza y mi inspiración y mi aliento y como dice la canción que bailamos el día de nuestra boda, gracias a ella que *en la calle codo a codo somos mucho más que dos*. Gracias, Margarita, por tu amor y por tu fuerza y tu compromiso.

Las mujeres se levantan, aplauden y a cada intervalo gritan "Sí se puede", a lo que respondo:

> Sí se puede, como no. Claro que se puede, amigas, y por eso estoy aquí, porque se puede, porque somos la mejor opción para México, por eso se puede. Vengo en un momento crucial de la contienda electoral y mi deseo de estar es por varias razones, la primera, porque quiero compartir con ustedes la visión que tengo sobre México.
>
> La segunda, porque quiero decirles el proyecto de nación que voy a llevar a cabo como presidente para lograr la igualdad de oportunidades entre el hombre y la mujer en nuestro país.

La tercera es porque vengo a convocarlas a dar la batalla de su vida. En los próximos cien días las mujeres van a definir el voto de los ciudadanos a favor de la mejor opción, con el trabajo de las mujeres aseguraremos la victoria el 2 de julio. […]

Quiero también decirles que sé que el peor daño y el delito más grave que se comete contra la mujer es por desgracia al interior de la casa, sé que la violencia intrafamiliar es un cáncer que lacera a las familias de todos los niveles socioeconómicos, que se practica en la sierra y en la ciudad, en las comunidades indígenas y en la frontera norte y sur del país, en las parejas jóvenes y en los matrimonios mayores. […]

Sé también de la capacidad de trabajo y la responsabilidad de las mujeres. Aquí se acabó lo del "sexo débil", yo ya entendí que ustedes son el sexo fuerte de México, yo ya lo vi, he visto a las mujeres que cuidan la parcela además de echar las tortillas al comal, que trabajan y sacan adelante a los hijos, hoy más de cinco millones de mujeres son las jefas del hogar, de la familia. Quiero que sepan que mi compromiso es para ustedes, para quienes son madres solteras, para quienes están viudas, para quienes están separadas o para quienes de plano tienen un compañero que ni picha, ni cacha, ni deja batear. […]

Quiero abrir puertas para salir de la pobreza, yo sé abrir la puerta para salir de la pobreza con educa-

143

ción de calidad, en cobertura de salud, en servicios básicos; sobre todo sé abrir la puerta grande que necesitamos los mexicanos para salir de la pobreza: la puerta del empleo. [...]

Representamos al México del futuro. Ustedes son el México del futuro y yo quiero construir con ustedes ese país para cambiar a México hacia un México donde haya empleo, el empleo que nos ayuda a educar mejor a nuestros hijos, el empleo que nos ayuda a cuidarnos mejor, el empleo que nos hace sacar adelante a la familia. [...]

Pero la pregunta no es qué voy a hacer para ganar como candidato, la pregunta es a todos los ciudadanos, a todas las ciudadanas: si está en juego el futuro del país, ¿cómo vamos a hacer para ganar los mexicanos en el futuro?, y la respuesta es el trabajo duro y decidido, sin descanso, hasta alcanzar la victoria el 2 de julio del 2006. Por eso, porque quiero ganar, ¡voy a encargarle mi campaña a las mujeres de México!

El acto finaliza y de inmediato nos dirigimos a la explanada, donde cantidad de mujeres han escuchado los discursos a pleno sol. Ahí, en un templete improvisado, les pido:

Quiero que en manos de ustedes quede, precisamente, la capacidad de transformar al país, que ustedes convoquen a la sociedad, que ustedes hagan que México se levante.

Ahí les encargo la campaña. Vamos a zangolotear al partido para que se ponga a trabajar. Vamos a meterle candela a la campaña para ganar la elección el 2 de julio, ¿sí o no? Con mucho amor para ustedes, con mucho amor para nuestros hijos, vámonos duro, mujeres de México, a trabajar fuerte y a ganar las elecciones del 2 de julio.

Aunque desapercibida su importancia para la prensa, el evento del Auditorio fue el principio de un esfuerzo de reorganización, un relanzamiento de la campaña. Con todo y lo exitosa que había sido la gira por Chihuahua y lo simbólico del evento de Ciudad Juárez, el último mitin se había visto deslucido. Las fallas en los eventos, sin ser tantas como reflejaban algunos reportes de prensa, eran más de las admisibles. Los anuncios publicitarios puestos al aire desde el 19 de enero y expuestos durante más de cuatro semanas habían cansado ya a parte del auditorio. El mensaje central de valores no había podido penetrar con claridad y nitidez, y más bien estaba generando una percepción ante el electorado de ser un candidato conservador y refractario a la tolerancia y a la libertad.

La encuesta interna confirmaba una preocupación. Estábamos perdiendo fuerza y la distancia respecto del puntero era ya de once puntos de desventaja. Reuní al equipo más cercano y les pedí un informe completo de cada una de sus áreas. Para mí quedaba claro que debía dar un golpe de timón en la campaña. En una larga y difícil sesión de evaluación, en donde por fortuna pudieron aflorar algunas diferencias de opinión que había que poner en sintonía, y donde se esclarecieron dudas y malos entendidos, decidimos revisar y reimpulsar la campaña. Poco después, los primeros días de marzo, se publicó una nueva encuesta del Grupo de Economistas y Asociados: Después de haber estado empatados en enero, López Obrador me llevaba una ventaja de poco más de diez puntos en febrero. Había que actuar de una buena vez.

Ordené cancelar las giras inmediatas. Revisé los puntos débiles de la campaña. A la hora de incorporar a Josefina Vázquez Mota como coordinadora política me había faltado dar claridad en la estructura del Comité. Dado el enorme afecto y confianza que tengo con Juan Camilo, que había coordinado exitosamente la precampaña, había provocado una duplicidad en el mando que se traducía en ineficiencia; tensiones dentro del equipo y en una sensación de duplicidad y desorden hacia fuera. Tenía que dejar una sola cabeza. El equipo que me había acompañado en la precampaña era mi equipo más cercano, pero a la vez la fortaleza, liderazgo y peso político de Josefina Vázquez Mota requerían que asumiera plenamente el mando y la representación de la Coordinación de Campaña. Así que decidí que Josefina encabezara plenamente pero le pedí que confiara y se apoyara en el "cuerpo" de organización de mis colaboradores: Juan Camilo mismo,

Ernesto Cordero, Alejandra Sota, Max Cortázar, Aitza Aguilar y Javier Lozano.

Observé las áreas que tenían que ser renovadas. Con un gran pesar, en busca de oxígeno para la campaña, tomé la decisión de hacer cambios en las áreas de imagen y en la de logística. Tanto a Francisco Ortiz, a quien reconozco su enorme talento y profesionalismo, como a Alonso Ulloa, con quien he compartido décadas de amistad y militancia y cuya lealtad y capacidad me merecen toda la confianza, les expliqué que necesitaba hacer esos cambios. Aunque no fue fácil para nadie, me comprendieron y apoyaron.

Después, en diversas entrevistas, reconocí las encuestas que me eran adversas y que debía hacer cambios en campaña. Muchos me criticaron y dijeron que había sido el final pa-

Con los niños cortando el listón de la nueva casa de campaña.

ra mí. Sin embargo, seguí adelante: anuncié los cambios en el equipo, reorienté totalmente las giras con menos eventos pero más efectivos y renové el mensaje. El traslado sería de los valores hacia el empleo. Cambiamos también el lema por el de "Para que vivamos mejor", el cual tenía registrado el PAN desde el año 2000 y era más acorde con el lema original del partido: "Por una vida mejor".

Había más: el PRD había anunciado que su candidato no iría a ningún debate, lo cual implicaría perder toda posibilidad de contrastar propuestas y alternativas. No había tiempo que perder. Tendríamos que hacer debatir las alternativas ante la opinión pública y por eso se decidió en el PAN ir a una campaña de contraste. Debatir los temas más polémicos independientemente de la estrategia de nuestros contrarios. Sin embargo, eran muchas las voces que al unísono decían que no se debían pasar al contraste y al señalamiento del candidato del PRD. Que era invencible. Que el "efecto teflón" hacía que las críticas le fueran impenetrables. Que cada ataque nuestro lo fortalecería.

El candidato del PRD comenzó a cometer errores, fruto de su exceso de confianza. En un desplante de soberbia y de intolerancia, le dijo "Cállate chachalaca" al presidente de la República. Me dio la impresión cuando lo vi de que había surgido el verdadero López Obrador, y que acababa de mostrar una faceta que habían escondido cuidadosamente sus estrategas. El candidato del PRD repitió en varios mítines durante tres semanas el "cállate chachalaca" como si fuera una cosa graciosa. Seguramente lo era para el auditorio al que se dirige en el ritual casi místico que sigue en cada plaza.

Realmente no era ninguna gracia dirigirse así al presidente de todos los mexicanos. Sólo alguien más había querido callar así a Vicente Fox: Hugo Chávez. El PAN hizo un spot muy sencillo: comparó en veinte segundos el cállate de Chávez con el cállate de López Obrador. Al segundo día de publicación del spot donde comparaba las expresiones de Chávez con las del candidato del PRD, el propio presidente de Venezuela se metió de lleno a la contienda al hacer declaraciones sobre el tema. A final de cuentas, la elección no es acerca de los candidatos sino acerca del futuro de la gente y lo que los candidatos representan para ese futuro. Los electores deben saber a ciencia cierta qué representaba cada candidato para su futuro. Hay que decírselos.

Epílogo: Hacia el 2025

Esta mañana he tenido varios eventos maravillosos en Tuxtla Gutiérrez. Una reunión de miles de chiapanecos en el Polyforum de la capital, con la presencia de dirigentes indígenas de los Altos y de las Cañadas. Más tarde, la presentación de la propuesta sobre Desarrollo Sustentable, en el marco inmejorable del Cañón del Sumidero. Varios de los ambientalistas más reconocidos en la academia y en la sociedad civil avalan los lineamientos que propongo en la materia y a cuya discusión invito a los ciudadanos. Entre los firmantes están el doctor Mario Molina, premio Nóbel de química, orgullosamente mexicano, Gabriel Quadri, Homero Aridjis... De todas las propuestas que he formulado, por lo menos una diaria desde marzo y muchas ordenadas en diversos foros temáticos, esta es quizá la que más me emociona y la que más me conecta con el México del futuro. Es vital, como aprendí de mi padre hace casi treinta años que cerremos las brechas que ponen en peligro a la humanidad. La brecha norte y sur, entre ricos y pobres, y la brecha entre el hombre y la naturaleza. Ambas deben cerrarse y la paradoja es que deben cerrarse juntas. Cuidar la naturaleza debe generar ingresos que permitan a la gente superar la pobreza. La miseria es la principal depredadora de la naturaleza y en consecuencia es vital superar las condiciones de miseria para preservar la naturaleza. Quiero cerrar esas dos brechas.

La campaña va viento en popa. El primer debate del 25 de abril pasado me dio algunos puntos que me permitieron ponerme a la cabeza de la contienda electoral. Ahora, todas las encuestas de mayo me ubican como puntero en la contienda electoral. La última de *El Universal* me da 4 puntos de ventaja después de haber estado hasta 10 puntos rezagado hace dos meses. No puedo confiarme. Ordené al equipo que ignorara las encuestas y que asumiera que aún estábamos debajo. El triunfo debe ser holgado. Debo terminar estas notas para poder concentrarme de lleno en la recta final.

Me propongo aquí hacer tres ejercicios de imaginación prospectiva. Uno en 2006, otro en 2012 y uno más en 2025. En el primero, imagino la noche del 2 de julio de 2006: ya ha transcurrido la jornada electoral; a lo largo del día he tenido conocimiento de cómo van las cosas y sé que he ganado. Pero la pregunta fundamental es si tengo o no la mayoría en el Congreso de la Unión. Me imagino los dos escenarios: el deseable, contar con la mayoría, y el probable, que no cuente con ella.

Lo primero que hago, desde luego, es congregar a mis seguidores, escucharlos, celebrar con ellos aquí, en la Ciudad de México, y de ser posible a lo largo de la noche, no sólo en el Ángel sino en alguna ciudad cercana… luego de la celebración voy a hablar a los mexicanos a través de los medios de comunicación para agradecerles su voto y para decirles que voy a corresponder a la confianza que han depositado en mí con trabajo y responsabilidad; que, como he dicho en la campaña, voy a conducir a México al futuro, pero para ello necesito el apoyo de todos, no sólo de quienes han votado hoy por mí, sino de aquellos que no votaron por un comprensible desencanto de la política e incluso de aquellos que votaron por otras opciones. Voy a construir los puentes necesarios con otras candidaturas y equipos de campaña, y en ese mensaje, la noche del día dos, voy a convocar a un gobierno de unidad nacional que pueda plantearse un proyecto de gran visión con indicadores claros, precisos y comprometidos: un proyecto que defina al México que anhelamos hacia el año 2025, pues sé que en dos décadas podemos transformar el rostro del país.

Voy a convocar a otros actores políticos no sólo a participar en mi administración, sino básicamente a integrar un gobierno de unidad nacional que tenga la mira puesta en el futuro. Invitaré a Andrés Manuel López Obrador, a Roberto Madrazo, a Roberto Campa, a Patricia Mercado y a los grupos parlamentarios que los apoyan en el Congreso a que, a partir de la mañana del 3 de julio, iniciemos una ronda de negociaciones con miras a construir un gobierno de coalición. Como les dije a los electores, voy a ser un presidente con mayoría a partir de los votos en las urnas y los asientos en el Congreso de la Unión, pero también de la negociación política y

153

de la capacidad de comprender e incorporar a mi gobierno las prioridades de otros sectores y partidos.

Tal gobierno de coalición empezaría a trabajar con la premisa de lograr, entre julio y octubre, tres puntos fundamentales: Primero, instalar un acuerdo para definir un proyecto de gran visión para el país entre 2006 y 2025. Segundo, articular cuanto antes un programa de gobierno cuyos hilos conductores puedan incluirse en el primer proyecto de presupuesto de egresos que presentaré, de modo que en éste se jerarquicen adecuadamente las necesidades y prioridades nacionales. Tercero, asumir el compromiso de contar con una mayoría estable, legítima y construida de cara a los ciudadanos que me permita gobernar con mayoría durante el sexenio, tanto en lo inmediato como luego de las siguientes elecciones intermedias.

En tanto llega ese día, he manifestado ya mi disposición a compartir la responsabilidad de gobernar siempre y cuando haya la voluntad política de encontrar esos acuerdos, de jerarquizar esas prioridades y de sumar los votos de manera estable y comprometida. También he enfatizado mi convicción de que el acuerdo medular acerca de las reglas del juego está dado después del proceso de transición democrática que México ha vivido y que no es letra muerta: ahí están las leyes, ahí están las autoridades, ahí está la libertad política. Es deseable que la construcción de puentes y puntos de coincidencia se dé desde ahora y que cualquiera que sea el resultado electoral haya la capacidad, la madurez y la responsabilidad política, patriótica, de reconocer al ganador. Mi primer compromiso, y así lo he dicho siempre, es cumplir y hacer cumplir la ley, y el primer compromiso con la legalidad es respetar la voluntad de los ciudadanos; por ello es importante trabajar en las condiciones para que pueda darse un escenario constructivo a partir del 3 de julio.

Quien quiera ser presidente de México tiene que ganar los votos de los mexicanos. Claro que entiendo la tensión que rodea un proceso electoral, pero eso es normal en una democracia, y debe haber la capacidad política para conciliar y que prevalezca no la disputa por los votos sino la definición de un proyecto de nación. En mi tierra se dice que "hay tiempo para echar cohetes y hay tiempo para recoger varas"; es evidente que estamos en el tiempo de echar cohetes, pero pasada la elección habrá que recoger varas: trabajar rápida y políticamente para construir un régimen de unidad nacional.

El punto medular para fortalecer el entramado institucional del país es fortalecer la credibilidad ciudadana y la legitimidad democrática; la validez misma del triunfo electoral se apoya en tales factores. Tiene que ser una combinación de firmeza y fortaleza del gobierno con apertura y capacidad de diálogo y de negociación. He dicho durante mi campaña que tiene que haber mano firme y también "mano izquierda"; para los tiempos que vienen, la mano izquierda del presidente va a ser fundamental. De broma, he dicho en campaña que "para mano izquierda, qué mejor que un presidente zurdo", como yo.

Se requerirá de mucha sensibilidad y capacidad de acuerdo político para sumar voluntades en el interregno entre el 3 de julio y el primero de diciembre. Mi propósito será construir la unidad nacional sobre la base de la legitimidad democrática y lograr acuerdos sobre cómo establecer un Estado de derecho vigente para los mexicanos y claro para el mundo, cómo recuperar la seguridad pública, cómo hacer que nuestra sociedad iguale oportunidades. Cómo conservar nuestro medio ambiente y cómo asegurar la rendición de cuentas puntuales a la ciudadanía desde la política y la representación.

Dentro de la gran problemática nacional, dentro de los múltiples frentes que hay ante un presidente, es imprescindible elegir las batallas y la secuencia de acción. No es siquiera coherente pretender actuar simultáneamente en todos los frentes. Sé que debo elegir mis batallas y mis prioridades, y estoy preparado para ello.

Imaginemos ahora el 2012. En mi último informe de gobierno hago un balance de seis años muy intensos. Hay, desde luego, enormes desafíos y retos por enfrentar, pero también evidentes logros que se pueden constatar. Resumo los principales. Cuando asumí la Presidencia de la República había unos 50 millones de pobres y 22 millones en pobreza extrema. Hoy hay 35 millones de pobres y 10 millones en pobreza extrema. Se ha librado una batalla frontal contra la inseguridad; se ha depurado el Ministerio Público y las policías federales, y hemos encontrado colaboración en algunos estados para depurar los cuerpos policíacos locales; tenemos una policía integrada por elementos de reconocida solvencia moral, que son respetados en sus comunidades y cuyo desempeño vigilan cotidianamente los ciudadanos; ganan un salario digno, son profesionales y saben que van a tener también un retiro digno; por ello hemos bajado los índices de delincuencia considerablemente.

México es un país de leyes, un país de plena certidumbre, no sólo en los niveles de convivencia sino en la vida económica. El flujo de inversión ha permitido que los últimos tres años hayan sido los de mayor crecimiento económico en la historia contemporánea del país. Por ello se ha cumplido la meta de crear un millón anual de empleos. El impulso a la construcción de vivienda fue un motor fundamental en los años más difíciles, y hoy llegamos a la meta de un millón de viviendas al año. Otro detonante económico ha sido el turismo. México es hoy más conocido en el mundo, y no sólo por sus destinos de sol y playa sino su riqueza cultural y natural; somos el sexto país más visitado del mundo y el sexto donde el turista pasa más tiempo y gasta más; con apoyo de los gobiernos de los estados hemos desarrollado el corredor turístico del noroeste, que ha convertido al Mar de Cortés en uno de los destinos más visitados y ahora crece en número de visitantes como la Riviera Maya, cuyo crecimiento pudimos ordenar y realizar sin daños al medio ambiente. De hecho el ecoturismo genera ahora casi tantos turistas como el sol y la playa. El agua que se utiliza en las ciudades y poblados mayores a mil habitantes es tratada y reutilizada. El 15% del territorio nacional y el 10% de la superficie marítima son áreas naturales protegidas. Hemos terminado los ejes carreteros troncales y longitudinales que México necesitaba. Hoy se puede transitar del Golfo al Pacífico y de una frontera a otra sin dificultades, sin pasar necesariamente por la Ciudad de México y a mucho menor costo. Los productos agrícolas de Sinaloa y de Sonora y las mercaderías que llegan por la Cuenca Asia-Pacífico pueden transitar rápidamente y de manera segura hacia el sur de Texas, lo cual le ha dado un enorme potencial económico al país, lo mismo que el eje de Manzanillo hacia Altamira. Hemos logrado ganar cada vez más porción de mercado a través del canal seco, es decir, del canal transístmico carretero y ferrocarrilero que une los puertos de Salina Cruz y de Coatzacoalcos. Hemos construido una relación constructiva con Centro y Sudamérica. Costó trabajo rescatar el punto fronterizo entre Guatemala y México del deterioro social que implicaba la delincuencia y el control del narcotráfico —un punto que nunca habíamos querido reconocer—, pero hoy hemos hecho de la frontera entre Guatemala y México una frontera segura, con mucha mayor vigilancia aduanal, migratoria y con una severa vigilancia contra el tráfico de drogas. Es una frontera que le deja ingresos al país y abre oportunidades de trabajo y de vida digna y segura.

El programa Pro-árbol que establecí permitió reconvertir dos millones de hectáreas de zonas originalmente boscosas o selváticas que se utilizaban para sembrar maíz y trigo en áreas boscosas y selváticas nuevamente. Un millón y medio más de superficie ahora es ocupada por plantaciones forestales que permiten recuperar más rápido los acuíferos y crear un patrimonio a los ejidatarios y comuneros. Mediante un agresivo programa de competitividad energética, tributaria y de otros órdenes logramos que México se convirtiera en uno de los mayores exportadores de productos de consumo duradero. Los países con los que hemos venido compitiendo de tú a tú por los mercados, China, India, Vietnam y los de la anterior Europa del Este ahora también compran una gran variedad de productos mexicanos, pues hemos aprovechado el crecimiento de sus propios mercados. Tenemos en consecuencia una de las mayores tasas de crecimiento de empleo formal.

Logramos finalmente un acuerdo migratorio en el que ayudó mucho cambiar la polarización en la relación México-Estados Unidos. Hicimos lo necesario para aprovechar principios de entendimiento y valores en común para implementar un acuerdo sobre trabajadores temporales que nos permitió abrir la puerta a un flujo migratorio mucho más ordenado y, sobre todo, a recuperar la confianza entre ambos países.

México está mejor que antes en términos de varios indicadores. En 2006 México tenía el lugar 79 en el Foro Económico Mundial de Davos en términos de credibilidad, legalidad, Estado de derecho, independencia de los jueces, seguridad pública; hoy ocupa el lugar 35. Falta mucho por hacer pero evidentemente los pasos que hemos dado nos consolidan como una nación segura para vivir y para invertir, y eso nos ha ayudado a mejorar las condiciones de vida. Se ha reducido enormemente la tensión social, y podemos ofrecer oportunidades a nuestros jóvenes. Hemos sabido combinar la atención al interés nacional y a los intereses sectoriales, y por ello las prioridades de educación y salud se han cumplido: la cobertura médica ha alcanzado a todos los municipios del país y no existe entre los niños menores de diez años uno solo que no cuente con médico, medicinas y atención hospitalaria.

Quienes han leído hasta aquí han conocido buena parte de mi vida y de mi trayectoria política, y habrán constatado cómo se entrelazan; para terminar quiero hacer un último ejercicio de imaginación prospectiva donde nuevamente vida privada y trayectoria política se imbrican. El año es 2025, y yo tengo 63. Invito a mis hijos a comer con Margarita y conmigo (no sé si estén casados o no, eso no es relevante, lo importante es que sean felices), y en la sobremesa recordamos estos días. Conversamos largamente. Les cuento cómo los veía a mediados de abril de 2006, entusiasmados y preocupados porque su papá estaba compitiendo por la Presidencia, pintando en todas las paredes posibles. Les recuerdo el grito de guerra que Luis Felipe hizo en un momento en que quedó activado y sin vigilancia el micrófono de una plaza colmada en Tlaxcala el 5 de febrero de 2006: "¡Mi papá le va a ganar a Roberto Madrazo y le va a ganar a López Obrador!" El mismo que venía diciéndome a cuánta gente había convencido cada día de que votara por mí y yo insistiéndoles a todos en que no se preocuparan y se dedicaran a hacer su tarea. Recuerdo a mi hija María alentándome siempre: "¡Suerte, papi!", como me decía todos los días y en particular al momento de salir al primer debate. Recordamos a Juan Pablo, que de tres años de vida llevaba dos con su papá en campaña, enfrentándolo con alegría.

Lo que a mí me preocupaba es que mis hijos crecieran en una ciudad con 3.2 secuestros al día, que México se estaba volviendo uno de los mayores consumidores de droga en

el mundo, que había alta toxicidad en el aire que respirábamos; les estaría recordando que por eso de niños frecuentemente tenían problemas de salud. Les hablaría de cómo me preocupaba toda la miseria que había en el país, los niños que crecían sin papás, la gente que no tenía absolutamente nada, los campesinos que trabajaban duro y a final de cuentas no les quedaba nada. Les diría que me preocupaba el país que les iba a dejar y todo lo que hice en aquel tiempo no fue sólo por lo que aprendí de mi padre, sino por lo que aprendí de mis hijos; que para mí la política, desde una perspectiva de principios y de ideales, había sido como un oficio que aprendí de mi casa. También les diría que al igual que mi padre, nunca pretendería que mis hijos, por presión mía, tuvieran el mismo oficio, sino en todo caso esperaría que estuvieran satisfechos y orgullosos de mí, o cuando menos seguros de que había actuado conforme a mis convicciones.

Y les expresaría mi contento porque ese día el monitoreo ciudadano (ejercido a través de todos los medios tecnológicos conocidos ahora y algunos que francamente no puedo imaginar) está al tanto de cuáles son los puntos de contaminación más graves y cuáles son los índices de delincuencia en ese momento (así como ahora se informa cuáles son las vías congestionadas de tráfico y se hacen sugerencias para evitarlas, también se sabe cuáles son los puntos peligrosos y la delincuencia está bajo control). Que me da gusto saber que las plantas de tratamiento de aguas negras finalmente están reestableciendo los mantos acuíferos y la Ciudad de México ha terminado de crecer. Que me alegra que alguno de ellos haya decidido irse a vivir a Morelia, en nuestras raíces. Me alegra que México sea un país seguro, que rompió el mito de que América Latina estaba condenada al subdesarrollo. Que con los nuevos desarrollos urbanos en la costa del Pacífico, en zonas con tierra y agua suficientes, está equilibrándose la población nacional. Que estoy satisfecho porque sigo trabajando como consultor para empresas, personas, gobiernos, en temas jurídicos, económicos y de administración pública. Recordaría también que uno de mis mayores satisfactores es haber podido echar a andar una plantación forestal en la zona oriente del estado de México, justo donde el deterioro ambiental y la miseria son mayores. Que estoy contento, que veo un México distinto gracias al enorme esfuerzo que hicimos como familia desde el 2004 hasta el 2012. Les diré que estoy agradecido. Les preguntaré cómo va su vida y les diré que todo lo he hecho porque los amo enormemente. Sé que lo saben pero he aprendido que los seres humanos debemos recordárnoslo una y otra vez. Les daré un abrazo y les recordaré el mismo consejo que me dieron y no deben olvidar nunca, el consejo que espero para entonces haya cumplido a cabalidad y con creces: la tarea medular del hombre es ser feliz. Les diré que yo lo soy, porque he vivido con intensidad haciendo lo que debo hacer. Y que espero que ellos vivan también su vida intensamente y que sean felices.

Campaña presidencial, México, mayo de 2006

Imágenes de campaña

El hijo desobediente
se terminó de imprimir en mayo de 2006,
en Litográfica Ingramex, S.A. de C.V.
Centeno 162, Col. Granjas Esmeralda,
C.P. 09810, México, D.F.